MW00785585

APRENDER
Coreano
PARA PRINCIPIANTES

한국어를 배우다 입문서

EL LIBRO DE EJERCICIOS DE IDIOMAS Y GUÍA DE ESTUDIO

- ☑ Aprende con Ejercicios de Escritura y Cuestionarios
- ☑ Guías Detalladas sobre la Pronunciación y los Sonidos
- ☑ Diagramas con el Orden de Trazos y Sugerencias
- ☑ Aprende a Leer, Escribir y Hablar Coreano
- ☑ Domina el Alfabeto Hangul, Paso a Paso

POLYSCHOLAR

www.polyscholar.com

CONTENIDOS

Consejo: este libro funciona mejor con bolígrafos de gel, lápices e instrumentos similares. Ten cuidado con los subrayadores y la tinta, ya que los materiales densos o húmedos pueden atravesar el papel o transferirse a las siguientes páginas. Aquí tienes algunas casillas de prueba en las que puedes comprobar si tus bolígrafos son adecuados:

CÓMO USAR ESTE LIBRO

Una de las formas más rápidas de aprender y entender cualquier lengua extranjera es la repetición. A medida que avances la lectura de este libro, te encontrarás espacios en las páginas en los que puedes practicar lo que vas aprendiendo, con diversos ejercicios de escritura y un cuestionario rápido al final de cada sección.

Más adelante, en este libro, te encontrarás ejercicios de escritura más avanzada y vocabulario útil para seguir desarrollando tus conocimientos recién adquiridos sobre el Hangul. Este libro ha sido diseñado para que se pueda escribir en él, pero siéntete libre de fotocopiar las páginas *(solo para uso personal)* si prefieres trabajar en tu escritura por separado.

 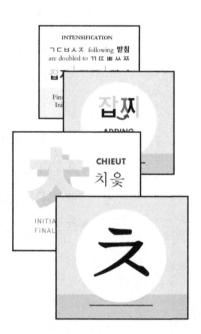

APRENDE, MEMORIZA, Y PRACTICA TU HANGUL   **PÁGINAS CON FLASHCARDS**

Hemos incluido páginas de práctica adicionales con cuadrículas que podrás usar una vez que hayas aprendido a dibujar los caracteres del Hangul, ¡forma sílabas y escribe palabras!

La última parte de este libro contiene páginas con un conjunto de tarjetas que puedes fotocopiar o recortar. Estas tarjetas son una gran forma de ayudarte a memorizar los símbolos y poner a pruebas tu conocimiento sobre lo estudiado. *¡Los estudiantes más jóvenes deben buscar la ayuda de un adulto para recortarlas!*

INTRODUCCIÓN

¡Aprender a leer, escribir y hablar coreano puede parecer una tarea muy complicada, pero nos hemos encargado de crear un libro de ejercicios que va a hacer que esta tarea sea más **fácil y rápida!**

El primer obstáculo que nos encontramos al aprender coreano es uno bastante grande para los hablantes de español, y este es el alfabeto coreano, también conocido como **Hangul**. Sin duda ya habrás visto que consiste en letras que se unen de una forma completamente diferente a la de los alfabetos occidentales. ¡No solo tenemos que aprender un idioma nuevo, sino que además está escrito de una manera totalmente nueva para los hablantes nativos de español!

En poco tiempo verás que el sistema lingüístico coreano es mucho más fácil de aprender de lo que parece al principio. ¡Este libro te ayudará a aprender todo lo que necesitas saber sobre el alfabeto Hangul y, cuando lo termines, sabrás cómo leer, escribir y hablar coreano! *Es genial, ¿eh?*

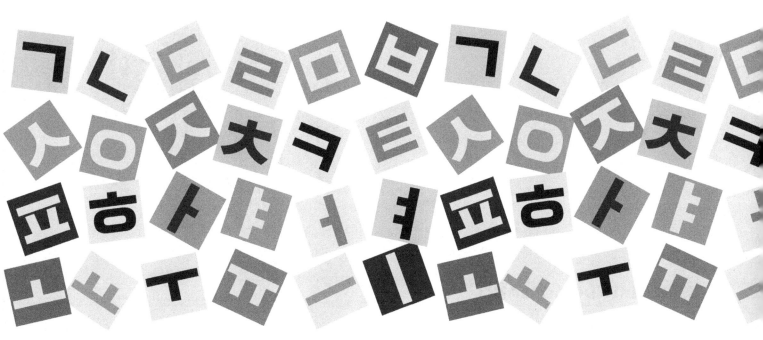

Hangul es el nombre que reciben el alfabeto y el sistema de escritura usados en toda Corea. Este nombre está compuesto por dos palabras coreanas, **han** (한) y **geul** (글), que se pueden traducir literalmente como **'gran escritura'**. Han puede hacer referencia a Corea al completo, así que también se traduce como *'Escritura Coreana'*. El Hangul se forma con **consonantes y vocales**, ¡lo que ocurre es que las letras se ven diferentes a las del alfabeto que usamos en español!

HISTORIA (BREVE)

Hasta *mediados del siglo XV*, los coreanos escribían usando una mezcla de chino y escrituras nativas antiguas que se basaban en la fonética. Había *(y aún hay)* un gran número de caracteres chinos únicos que hacían que la lengua fuera difícil de memorizar y usar. Para poder escribir también se requería una educación que solo estaba disponible para las clases sociales altas y apoderadas, lo cual significaba que las clases sociales bajas, más pobres y desfavorecidas, no tenían acceso ni siquiera a la alfabetización más básica.

Para promover y fomentar la alfabetización a gran escala, **el Rey Sejong el Grande** asumió la tarea de diseñar un sistema lingüístico nuevo y único que era sencillo, lógico y fácil de aprender…

¡…el alfabeto Hangul que se usa en la actualidad!

APRENDIENDO COREANO

Cuando empiezas a aprender coreano, puedes tener la tentación de buscar palabras o frases para situaciones específicas e intentar aprender su pronunciación de memoria. Eso puede funcionar a corto plazo, pero tarde o temprano, necesitarás leer y escribir usando la escritura nativa – y prácticamente deberás empezar desde cero de nuevo. *¡No hay manera de evitarlo!*

Por lo tanto, es esencial empezar dominando primero el alfabeto coreano. Si empiezas simplemente aprendiendo cada una de las letras del Hangul en vez de palabras o frases aisladas, ¡verás que podrás entenderlo todo con facilidad y mucho más rápido!

¡EL HANGUL ES FÁCIL!

En comparación con el chino o el japonés, que están compuestos por *miles* de caracteres *Kanji* únicos y complejos, el idioma coreano es mucho más sencillo:

蔵 儀 遵 帰	한글 (ㅎ+ㅏ+ㄴ+ㄱ+ㅡ+ㄹ)
Los símbolos Kanji expresan palabras completas o grandes partes de significado, así que tienen que ser memorizados.	*El coreano tiene un alfabeto simplificado que es mucho más fácil de aprender – ¡lo leemos, escribimos y hablamos letra a letra!*

¡Algunos Kanji chinos cotidianos pueden requerir hasta 15 líneas diferentes para ser escritos, mientras que otros símbolos menos comunes pueden requerir de 20 a 84 trazos para ser escritos! Las buenas noticias que tenemos para ti son que hasta las letras Hangul más complicadas se dibujan con solo cinco trazos.

ROMANIZACIÓN

The foreign letters and words that we want to learn must be shown with *romanization* at first - this is where our familiar Latin-based lettering system is used to convey the sounds that each character represents. There are often no equivalent letters for the exact sounds, so it is far from ideal. We will work on memorizing Hangul quickly so that you can avoid *Romanized* translation as soon as possible - *the hard work is going to be worth it, though, trust me!*

It is worth noting that there are several different versions of romanization, each using slightly different letters to the next. The only accurate representation of the sounds is the Hangul alphabet itself, and there is no perfect way to show Korean in English.

PRONUNCIACIÓN

Learning to pronounce Korean well begins when learning Hangul. It is good practice to say words and letters out loud as you learn. Only practice will help you develop a natural and native-sounding accent, and it takes time. We would advise beginning to watch and listen to Korean TV shows with Hangul subtitles once you have a grasp of the alphabet.

Note: This workbook includes basic introductions to pronunciation, but this is inevitably taught more effectively with some audio. Practice pages display close English equivalents using similar-sounding words.

GUÍA DE INTRODUCCIÓN

El alfabeto **Hangul** consiste en solo **24 letras básicas** que combinamos para crear todos los símbolos y caracteres que necesitamos para formar las palabras coreanas. Solo hay que aprender **14 consonantes básicas** y **10 vocales básicas**, así que, ¡empecemos!

CONSONANTES BÁSICAS

El diseño de las consonantes básicas de Hangul está basado en las formas que se hacen con la boca, lengua, garganta y labios cuando se articulan los sonidos de dichas consonantes y se pronuncian en alto:

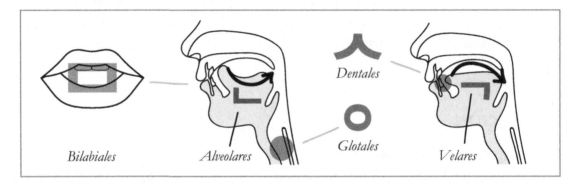

Una vez que se determinaron las cinco formas iniciales, se crearon las consonantes adicionales añadiendo líneas suplementarias a las primeras letras. El Hangul a veces se muestra con un orden más o menos alfabético – como eso no es importante aprenderlo ahora mismo, **agruparemos y clasificaremos las letras por su forma** para hacer que aprenderlas sea un poco **más eficiente:**

Hangul	ㄱ	ㅋ	ㄴ	ㄷ	ㅌ	ㅁ	ㄹ
Romanización	g/k	k	n	d/t	t	m	r/l

Hangul	ㅂ	ㅍ	ㅅ	ㅈ	ㅊ	ㅇ	ㅎ
Romanización	b/p	p	s	j/ch	ch	-/ng	h

Nota: el Hangul tiene ciertas pronunciaciones que las letras romanas no pueden expresar con exactitud, con sonidos que cambian dependiendo de su uso.

VOCALES BÁSICAS

Las vocales básicas se diseñaron usando formas que representaban la Tierra *(Yin)*, el Cielo *(Yang)*, y la Humanidad *(siendo los humanos los mediadores de los otros dos).*

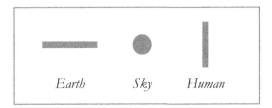

Earth   Sky   Human

En el Hangul moderno, el punto que hace referencia al cielo *(representado como el sol o una estrella)* se muestra unido a las otras formas y ha sido prácticamente *reemplazado* por una línea corta.

Los nombres de las vocales son como los sonidos que representan. Podrás observar que algunas vocales tienen una forma '**vertical**' más alta *(se puede observar en la tabla de abajo)* y los otros caracteres tienen una forma más plana y una orientación '**horizontal**':

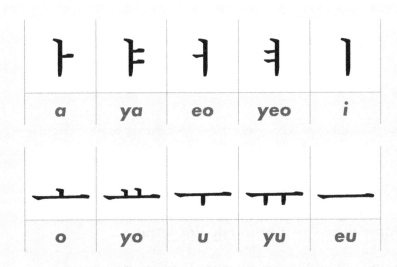

ㅏ	ㅑ	ㅓ	ㅕ	ㅣ
a	ya	eo	yeo	i

Estas vocales '*verticales*' se sitúan directamente a la derecha de cualquier consonante que vaya delante.

ㅗ	ㅛ	ㅜ	ㅠ	ㅡ
o	yo	u	yu	eu

El segundo grupo de vocales '*horizontales*' se sitúan directamente debajo de una consonante que las preceda.

Las vocales y las consonantes no representan nada por sí solas – siempre se combinan con al menos una de las otras. Se usan dos o más letras para crear sílabas y sonidos reales. Por ejemplo, la letra ㄱ no tiene significado por sí sola, pero al añadir la vocal ㅏ se convierte en 가. *(o 'ga' si lo romanizamos – suena como la 'ga' de 'gato')*

ㄱ + ㅏ = 가

ㅂ + ㅛ = 뵤

Como mínimo, 1 consonante + 1 vocal = 1 sílaba

BLOQUES SILÁBICOS

Las palabras coreanas se escriben y expresan en una serie de 'bloques' – cada uno de estos bloques contiene una sílaba, como se puede ver en los ejemplos al final de la página anterior, y cada una de ellas representa un sonido. Estos **bloques silábicos** se *construyen* usando las letras Hangul individuales que ya hemos visto anteriormente – *veamos un ejemplo rápido a continuación:*

La palabra para Hangul *(o Hangeul)* se forma con dos bloques silábicos. Ambos contienen tres letras para formar los sonidos de las sílabas 'han' + 'geul':

한글 *hangul*
'Escritura Coreana'

ALGUNAS REGLAS SENCILLAS

Cuando te hayas aprendido todas las letras y puedas recordar solo algunas reglas sencillas sobre cómo usarlas en bloques, ¡básicamente podrás leer y escribir coreano! *Eso suena casi que demasiado fácil, ¿verdad?*

1 Los bloques silábicos **siempre** tienen un **mínimo de dos letras.**

2 Cada sílaba **empieza con una consonante** y **siempre le sigue una vocal.**

3 Cada sílaba se **escribe en el bloque de su propio cuadrado.**

4 Las letras *se comprimen* o *se estiran* parar ocupar un **espacio similar** a las demás.

En teoría hay miles de posibles combinaciones para crear sílabas, pero *no dejes que esto te preocupe.* Probablemente no te encuentres ninguna con más de cuatro letras y, simplemente aprendiendo las letras primero, serás capaz de entender cada uno de los bloques silábicos con facilidad. Será igual que como aprendiste a leer y escribir en tu propio idioma: aprendiendo el alfabeto y cómo se combinan las letras e interactúan entre ellas para formar sílabas y sonidos.

CREANDO SÍLABAS

El diseño de un bloque silábico se determina por la forma de la vocal y por el número de letras que hay dentro del bloque. *¿Recuerdas que las vocales pueden tener formas verticales u horizontales?* Se pueden escribir de izquierda a derecha, o de arriba hacia abajo, las sílabas pueden comenzar con una **consonante inicial** en la parte izquierda *(para las vocales verticales)* o en la zona superior *(para las vocales horizontales).*

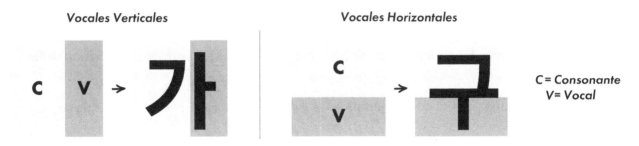

Cuando se añaden una tercera o una cuarta letra a las sílabas, se sitúan directamente debajo de las dos primeras, de izquierda a derecha de nuevo. Veamos algunos ejemplos:

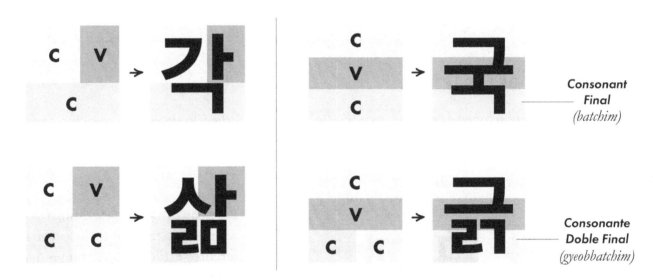

Las consonantes que se encuentran en la parte inferior de una sílaba se llaman **batchim** 받침 o *'consonantes finales'.* Serán más fáciles de aprender cuando hayas aprendido más, así que *de momento mantendremos las cosas sencillas.*

Básicamente, las **batchim** 받침 *(que significa literalmente 'apoyo')* son una característica gramatical única en coreano, en la que las consonantes se pronuncian diferente cuando se sitúan al final de una sílaba. ¡Las vocales no pueden ser nunca **batchim**, así que la pronunciación de vocales que vas a aprender no se ve afectada aquí!

IMPORTANT VOWEL RULE

Hemos aprendido que cada sílaba empieza con una consonante y tiene un mínimo de dos letras – *pero, ¿qué ocurre si un bloque silábico empieza con un sonido de vocal?* Esto ocurre con bastante frecuencia en 한글 y hay que **aprender una regla fundamental pero fácil** para solucionar este problema. Ninguna letra se usa sola, pero esta regla es esencial para las vocales:

Cuando las sílabas comienzan con una vocal, usamos la consonante ㅇ como un marcador mudo. Cuando esta consonante se coloca al principio de una sílaba como **consonante inicial**, no tiene sonido. Es fácil memorizar esta regla - **¡las vocales nunca se escriben solas!**

Aquí tienes una palabra como ejemplo – *la palabra coreana para caimán* – en la que se puede ver esta regla en acción:

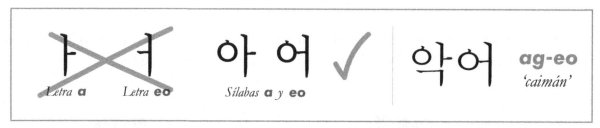

LAS FORMAS DE LAS LETRAS

Algunas letras se pueden dibujar un poco diferente dependiendo de en qué posición se sitúen en un bloque. El ejemplo más común es el de la letra ㄱ *(llamada giyeok)*, que se estrecha, se aprieta y se encoge muy a menudo – las formas de las letras están determinadas por todas las letras que componen la misma sílaba:

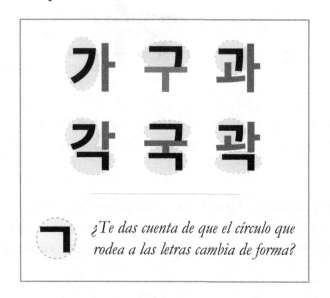

¿Te das cuenta de que el círculo que rodea a las letras cambia de forma?

No hay reglas estrictas para dibujar las letras, y sus apariencias pueden incluso variar entre los diferentes estilos de escritura a mano. Es importante recordar que las letras se dibujan con el mismo número de trazos, en el mismo orden y tienen prácticamente la misma forma.

Estos cambios de forma ocurren de la misma manera en cualquier estilo de escritura, por ejemplo: ㄱ + 이 = **기** 기 y 기.

(Algunas de las otras letras que sufren estos cambios son: ㅈ, ㅊ, ㅉ, ㄹ y ㅎ)

LEER Y ESCRIBIR

El coreano antiguamente se escribía verticalmente al igual que otras lenguas asiáticas, como el chino o el japonés, pero este estilo tiende a estar limitado a documentos tradicionales más antiguos. Si en efecto te encuentras con un texto escrito en vertical, probablemente sea una decisión de diseño, como en los letreros, igual que es posible ver todo tipo de textos occidentales usados de la misma manera. En la actualidad, la mayoría de los textos coreanos están escritos horizontalmente.

Como aprendimos cuando estábamos repasando las sílabas, escribimos letra a letra, bloque a bloque, empezando en la parte superior izquierda y dirigiéndonos a la parte inferior derecha. Las palabras también están separadas por un espacio – *fácil, ¿eh?*

Por lo tanto, tiene sentido que leamos de izquierda a derecha y de arriba hacia abajo también, moviéndonos por los bloques y las palabras y pronunciando cada letra mentalmente. Esto se vuelve cada vez más rápido y fácil con la práctica. Cuando llegues al final de una sílaba, algunos sonidos empezarán a fusionarse con naturalidad con el principio de cualquier sílaba que la siga. ¡Entonces, de esta manera, descifrarás la lectura de los textos coreanos y cómo pronunciarlos!

ORDEN DE TRAZOS

Las letras Hangul individuales y las sílabas se escriben de una manera específica que es fácil de dominar. Las líneas se dibujan individualmente, desde arriba a la izquierda hacia abajo y a la derecha en todos los casos:

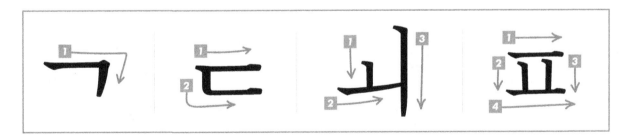

Aprender el orden de trazos apropiado es esencial para crear caracteres coreanos precisos que puedan leerse con facilidad – sin el orden de trazos correcto, tu escritura puede malinterpretarse completamente. **¡Es mucho más fácil aprender el orden de trazos apropiado al principio que corregirlo más tarde!**

Originalmente se dibujaba el Hangul usando pinceles y tinta tradicionales, cada trazo era intencionado, creando así formas equilibradas y una escritura muy legible. *¡También era una manera de escribir muy práctica con la que te asegurabas de que no se emborronara tu texto y no te mancharas las manos de tinta!*

FUENTES Y APARIENCIA

Los caracteres Hangul se muestran frecuentemente con apariencias diferentes, dependiendo de dónde los veas y dependiendo de si han sido dibujados a mano, impresos o se muestran en formato digital.

안녕하세요 | 안녕하세요
'Modern Sans-Serif Style'   *'Traditional Serif Style'*

Las dos fuentes principales usadas en este libro son *'sans-serif style'* con un toque moderno que muestra las letras con un aspecto sólido y común, y *'serif style'* con un toque más tradicional cuya apariencia hace que sea un poco más fácil ver el orden de los trazos de las letras como si hubieran sido dibujadas a mano individualmente.

CALIGRAFÍA

No es necesario que la escritura coreana sea perfectamente correcta – de hecho, ¡verás que la caligrafía de los nativos apenas presenta caracteres perfectamente formados! Si se escribe de la manera correcta, con el orden adecuado de trazos, la mayoría de los textos en Hangul se pueden entender.

Si miras los cuatro ejemplos de escritura hecha a mano que aparecen a la izquierda, podrás observar que la misma letra ㄹ se dibuja de varias maneras diferentes: los ejemplos que aparecen al final son menos puros, pero todos son reconocibles.

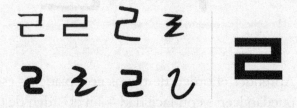

Las páginas de práctica de este libro presentan estilos alternos para cada letra, con fuentes de un estilo en el que parece que los caracteres están escritos a mano, para usarlos como referencia.

Con práctica y experiencia, pronto empezarás a notar cómo se ha usado un lápiz y que incluso las líneas imprecisas pueden ayudarte a leer. *¡La verdadera escritura coreana hecha a mano no presenta círculos y cuadrados perfectos!*

SOBRE LA PRONUNCIACIÓN

Uno de los aspectos más confusos para los principiantes es el énfasis localizado en letras que tienen pronunciaciones diferentes. Algunas palabras Hangul se muestran con más de una letra *romana* diferente bajo ellos y a menudo sin ninguna explicación real - *¿te diste cuenta en la página 8?* Aprenderás más sobre la pronunciación coreana más adelante en el libro, pero, de momento, aquí tienes un breve resumen de lo básico para ayudarte a comenzar.

Diferentes **tipos de pronunciación** pueden crear diferentes sonidos para la misma letra – tenemos que tener cuidado con algunas letras en coreano – **plosiva plana, sonora, aspirada, u plosiva tensa:**

> La articulación **aspirada / no aspirada** hace referencia a cuánto aire sale por la boca cuando hablamos. Hay más fuerza *en* la aspiración, y eliminamos este proceso en los sonidos no aspirados. Sostén tu mano delante de tu boca y di *'hándicap'* - ¿notaste que el aire golpea tu mano cuando pronuncias la letra 'p'?

> Los sonidos **tensos** son una versión más explosiva o con más fuerza de los sonidos aspirados.

> La pronunciación **sonora o sorda** depende de si activas o no la zona vibrante de tu garganta para que se vea afectado tu lenguaje. Coloca un dedo justo encima de tu laringe y luego haz un sonido de 'sss' largo seguido de un sonido de 'zzz' largo - *¿notaste la diferencia?*

Las letras de cada columna de la tabla *(que aparece abajo)* se pronuncian con una fuerza y tono en aumento – cada sonido se vuelve una versión más fuerte y con un tono más alto de la que está en el *'nivel'* anterior.

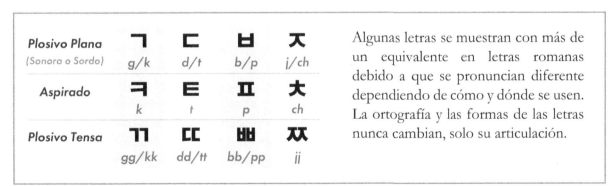

					Algunas letras se muestran con más de un equivalente en letras romanas debido a que se pronuncian diferente dependiendo de cómo y dónde se usen. La ortografía y las formas de las letras nunca cambian, solo su articulación.
Plosivo Plana *(Sonora o Sordo)*	ㄱ g/k	ㄷ d/t	ㅂ b/p	ㅈ j/ch	
Aspirado	ㅋ k	ㅌ t	ㅍ p	ㅊ ch	
Plosivo Tensa	ㄲ gg/kk	ㄸ dd/tt	ㅃ bb/pp	ㅉ jj	

Parte del problema al que se enfrentan los estudiantes es que la romanización no es una manera muy precisa de expresar los sonidos del Hangul. Muchas consonantes suenan demasiado parecidas unas a otras cuando se romanizan, lo cual añade una capa adicional de dificultad que no podemos evitar. Entendemos mejor las diferencias entre sonidos con el tiempo y con una mayor exposición a la lengua. *¡Una vez que tengas más conocimientos sobre el Hangul, te recomendamos escuchar muchos discursos en coreano!*

Parte 2

APRENDE DEL HANGUL BÁSICO

ㄱ ㄱ g

NOMBRE 기역 **giyeok**

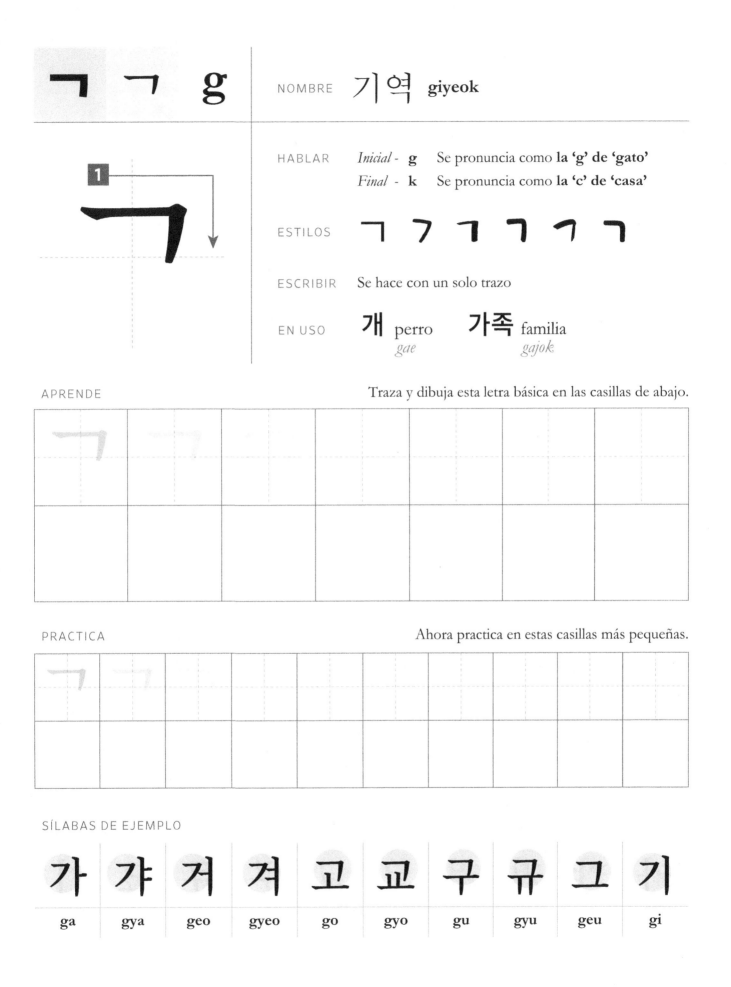

HABLAR

Inicial - **g**   Se pronuncia como **la 'g' de 'gato'**

Final - **k**   Se pronuncia como **la 'c' de 'casa'**

ESTILOS   ㄱ ㄱ ㄱ ㄱ ㄱ ㄱ

ESCRIBIR   Se hace con un solo trazo

EN USO   개 perro   가족 familia
gae   *gajok*

APRENDE   Traza y dibuja esta letra básica en las casillas de abajo.

PRACTICA   Ahora practica en estas casillas más pequeñas.

SÍLABAS DE EJEMPLO

가	갸	거	겨	고	교	구	규	그	기
ga	gya	geo	gyeo	go	gyo	gu	gyu	geu	gi

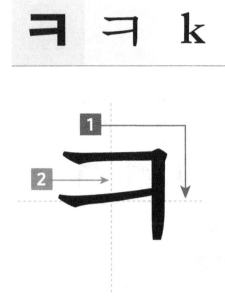

ㅋ ㅋ k

NOMBRE 키읔 **kieuk**

HABLAR *Inicial* - **k**   Se pronuncia como **la 'k' de 'kilo'**
Final - **k**   Se pronuncia como **la 'k' de 'kilo'**

ESTILOS ㅋ ㅋ ㅋ ㅋ ㅋ ㅋ

ESCRIBIR Se dibuja con dos trazos.

EN USO 코 nariz   부엌 cocina   컵 taza
ko   *bueok*   *keob*

APRENDE   Traza y dibuja esta letra básica en las casillas de abajo.

PRACTICA   Ahora practica en estas casillas más pequeñas.

SÍLABAS DE EJEMPLO

카	캬	커	켜	코	쿄	쿠	큐	크	키
ka	kya	keo	kyeo	ko	kyo	ku	kyu	keu	ki

18

ㄴ ㄴ n

NOMBRE ㄴ은 nieun

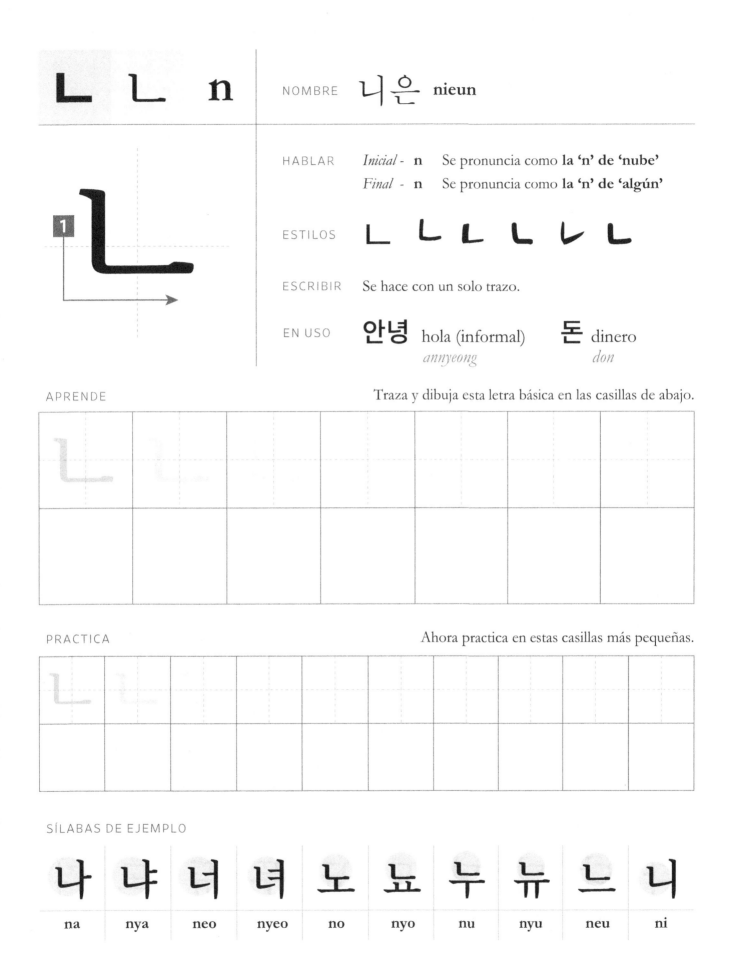

HABLAR
Inicial - **n** Se pronuncia como **la 'n' de 'nube'**
Final - **n** Se pronuncia como **la 'n' de 'algún'**

ESTILOS ㄴ ㄴ ㄴ ㄴ ㄴ ㄴ

ESCRIBIR Se hace con un solo trazo.

EN USO 안녕 hola (informal)   돈 dinero
annyeong   *don*

APRENDE   Traza y dibuja esta letra básica en las casillas de abajo.

PRACTICA   Ahora practica en estas casillas más pequeñas.

SÍLABAS DE EJEMPLO

나	냐	너	녀	노	뇨	누	뉴	느	니
na	nya	neo	nyeo	no	nyo	nu	nyu	neu	ni

ㄷ ㄷ d

NOMBRE 디귿 **digeut**

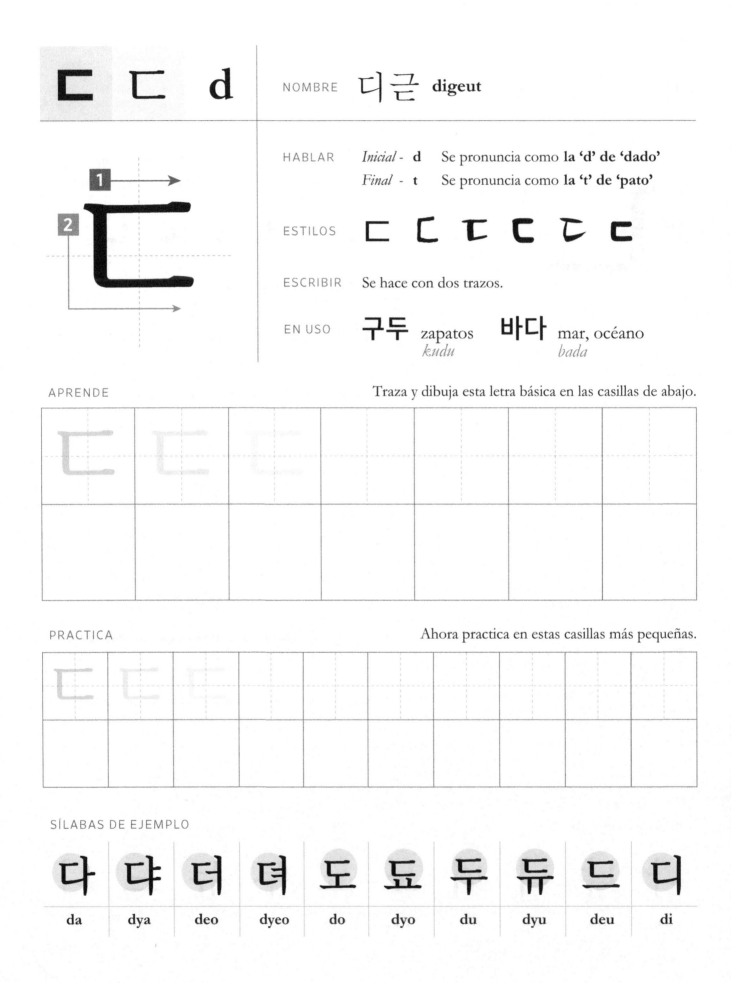

HABLAR   *Inicial* - **d**   Se pronuncia como **la 'd' de 'dado'**
             Final - **t**   Se pronuncia como **la 't' de 'pato'**

ESTILOS   ㄷ ㄷ ㄷ ㄷ ㄷ ㄷ

ESCRIBIR   Se hace con dos trazos.

EN USO   구두 zapatos   바다 mar, océano
             kudu   *bada*

APRENDE   Traza y dibuja esta letra básica en las casillas de abajo.

PRACTICA   Ahora practica en estas casillas más pequeñas.

SÍLABAS DE EJEMPLO

다	댜	더	뎌	도	됴	두	듀	드	디
da	dya	deo	dyeo	do	dyo	du	dyu	deu	di

ㅌ ㅌ t

NOMBRE 티읕 **tieut**

HABLAR
Inicial - **t**   Se pronuncia como **la 't' de 'tomate'**
Final - **t**   Se pronuncia como **la 't' de 'tomate'**

ESTILOS   ㅌ ㅌ ㅌ ㅌ ㅌ ㅌ

ESCRIBIR   Se hace con tres trazos.

EN USO   **토요일** sábado   **튀김** comida frita
toyoil   *twigim*

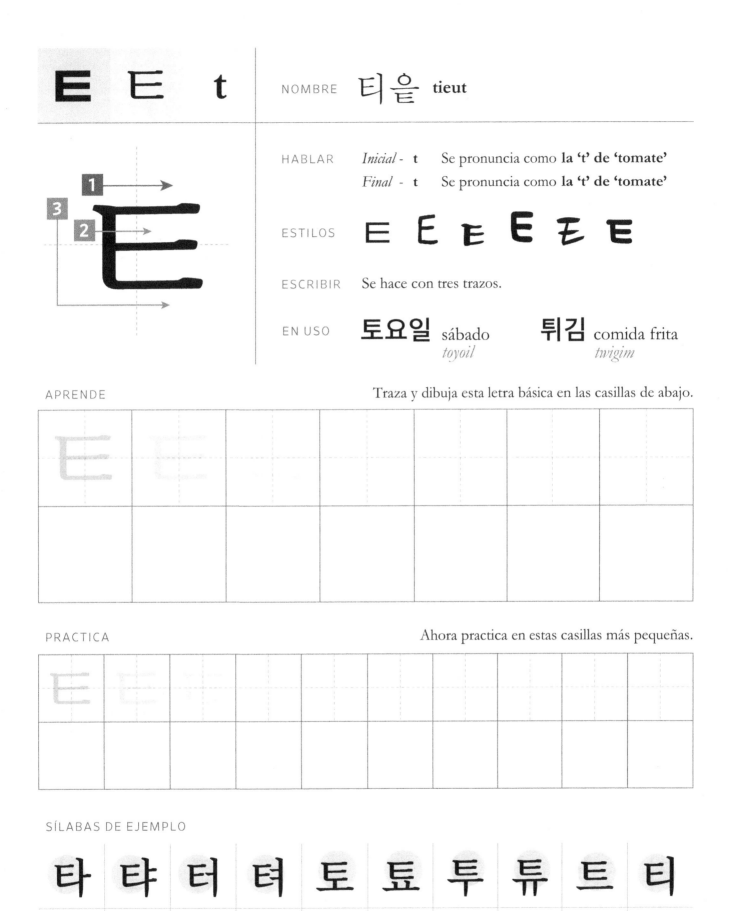

APRENDE
Traza y dibuja esta letra básica en las casillas de abajo.

PRACTICA
Ahora practica en estas casillas más pequeñas.

SÍLABAS DE EJEMPLO

타	탸	터	텨	토	툐	투	튜	트	티
ta	tya	teo	tyeo	to	tyo	tu	tyu	teu	ti

ㄹ ㄹ r/l

NOMBRE 리을 **rieul**

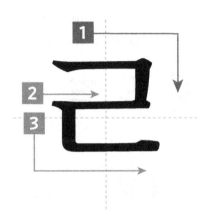

HABLAR	*Inicial* - **r** Se pronuncia como **la 'r' de 'caro'** *(una 'r' suave, no como la 'r' de 'perro')*
	Final - **l** Se pronuncia como **la 'l' de 'cual'**

ESTILOS

ESCRIBIR   Se dibuja con tres trazos.

EN USO   **라면** fídeos ramen   **주말** fin de semana
ramyeon   *jumal*

APRENDE   Traza y dibuja esta letra básica en las casillas de abajo.

PRACTICA   Ahora practica en estas casillas más pequeñas.

SÍLABAS DE EJEMPLO

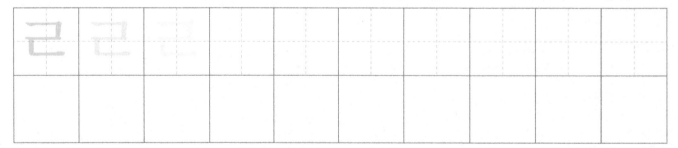

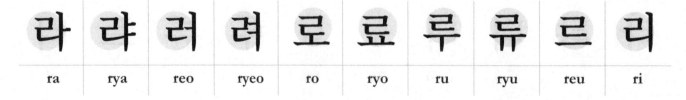

라	랴	러	려	로	료	루	류	르	리
ra	rya	reo	ryeo	ro	ryo	ru	ryu	reu	ri

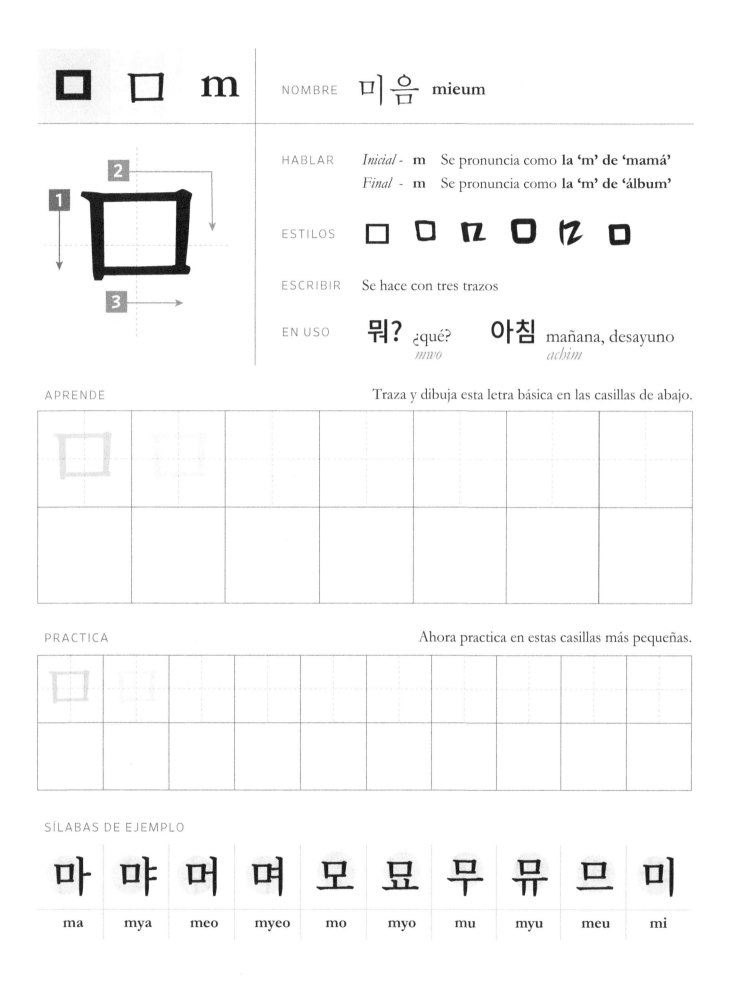

ㅁ　ㅁ　m

NOMBRE　미음 mieum

HABLAR　*Inicial* - **m**　Se pronuncia como **la 'm' de 'mamá'**
　　　　Final - **m**　Se pronuncia como **la 'm' de 'álbum'**

ESTILOS　ㅁ ㅁ ㄲ ㅁ ㄲ ㅁ

ESCRIBIR　Se hace con tres trazos

EN USO　**뭐?** ¿qué?　　**아침** mañana, desayuno
　　　　mwo　　　　　　*achim*

APRENDE　　　　　　　Traza y dibuja esta letra básica en las casillas de abajo.

PRACTICA　　　　　　Ahora practica en estas casillas más pequeñas.

SÍLABAS DE EJEMPLO

마	먀	머	며	모	묘	무	뮤	므	미
ma	mya	meo	myeo	mo	myo	mu	myu	meu	mi

ㅂ ㅂ b

NOMBRE 비읍 **bieup**

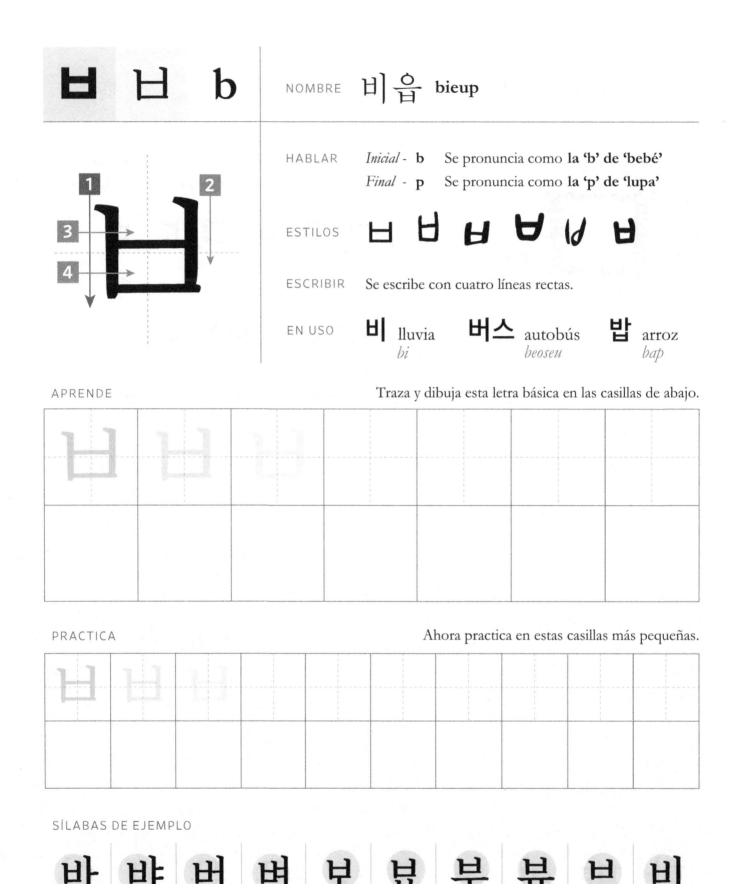

HABLAR *Inicial* - **b**   Se pronuncia como **la 'b' de 'bebé'**
          Final - **p**   Se pronuncia como **la 'p' de 'lupa'**

ESTILOS ㅂ ㅂ ㅂ ㅂ ㅂ ㅂ

ESCRIBIR Se escribe con cuatro líneas rectas.

EN USO 비 lluvia   버스 autobús   밥 arroz
          bi   *beoseu*   *bap*

APRENDE

Traza y dibuja esta letra básica en las casillas de abajo.

PRACTICA

Ahora practica en estas casillas más pequeñas.

SÍLABAS DE EJEMPLO

바	뱌	버	벼	보	뵤	부	뷰	브	비
ba	bya	beo	byeo	bo	byo	bu	byu	beu	bi

ㅍ ㅍ p

NOMBRE 피읖 **pieup**

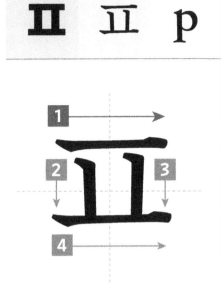

HABLAR   *Inicial* - **p**   Se pronuncia como **la 'p' de 'pizza'**

           Final - **p**   Se pronuncia como **la 'p' de 'lupa'**

ESTILOS   ㅍ ㅍ ㅍ ㅍ ㅍ ㅍ

ESCRIBIR   Se dibuja con cuatro trazos.

EN USO   **파티** fiesta   **피자** pizza   **커피** café

               pati   *pija*   *keopi*

APRENDE

Traza y dibuja esta letra básica en las casillas de abajo.

PRACTICA

Ahora practica en estas casillas más pequeñas.

SÍLABAS DE EJEMPLO

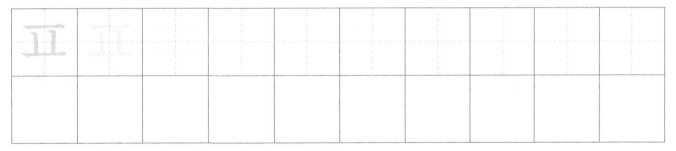

파	퍄	퍼	펴	포	표	푸	퓨	프	피
pa	pya	peo	pyeo	po	pyo	pu	pyu	peu	pi

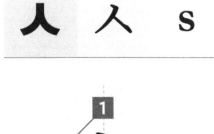 **ㅅ** **s**

NOMBRE 시옷 **siot**

HABLAR   *Inicial* - **s**   Se pronuncia como **la 's' de 'salida'**

Final - **t**   Se pronuncia como **la 't' de 'pato'**

Nota: a veces se pronuncia 'sh-', no 's', véase p.98

ESTILOS   ㅅ ㅅ ㅅ ㅅ ㅅ ㅅ

ESCRIBIR   Se dibuja con dos trazos.

EN USO   시   poema, ciudad   야자수   palmera
si   *yajasu*

APRENDE   Traza y dibuja esta letra básica en las casillas de abajo.

PRACTICA   Ahora practica en estas casillas más pequeñas.

SÍLABAS DE EJEMPLO

사	샤	서	셔	소	쇼	수	슈	스	시
sa	sya	seo	syeo	so	syo	su	syu	seu	si

ㅈ ㅈ j

NOMBRE 지읒 **jieut**

HABLAR *Inicial* - **j**   Se pronuncia como **la 'ch' de 'ancho'** *con el sonido 'ch' pronunciado más suave. Se romaniza con la letra 'j'.*

Final - **t**   Se pronuncia como **la 't' de 'pato'**

ESTILOS ㅈ ㅈ ㅈ ㅈ ㅈ ㅈ

ESCRIBIR Se dibuja con dos trazos.

EN USO **주스** zumo   **직업** trabajo, ocupación
          juseu   *jigeop*

APRENDE

Traza y dibuja esta letra básica en las casillas de abajo.

PRACTICA

Ahora practica en estas casillas más pequeñas.

SÍLABAS DE EJEMPLO

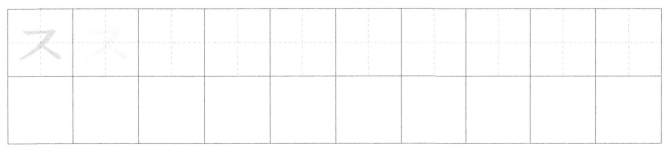

자	쟈	저	져	조	죠	주	쥬	즈	지
ja	jya	jeo	jyeo	jo	jyo	ju	jyu	jeu	ji

ㅊ ㅊ ch

치읓 **chieut**

HABLAR

Inicial - **ch** Se pronuncia como **la 'ch' de 'chiste'**

Final - **t** Se pronuncia como **la 't' de 'pato'**

ESTILOS ㅊ ㅊ ㅊ ㅊ ㅊ ㅊ

ESCRIBIR Se dibuja con tres trazos.

EN USO 차 coche 부츠 botas
cha *bucheu*

APRENDE Traza y dibuja esta letra básica en las casillas de abajo.

ㅊ	ㅊ	ㅊ			

PRACTICA Ahora practica en estas casillas más pequeñas.

ㅊ	ㅊ	ㅊ								

SÍLABAS DE EJEMPLO

차	챠	처	쳐	초	쵸	추	츄	츠	치
cha	chya	cheo	chyeo	cho	chyo	chu	chyu	cheu	chi

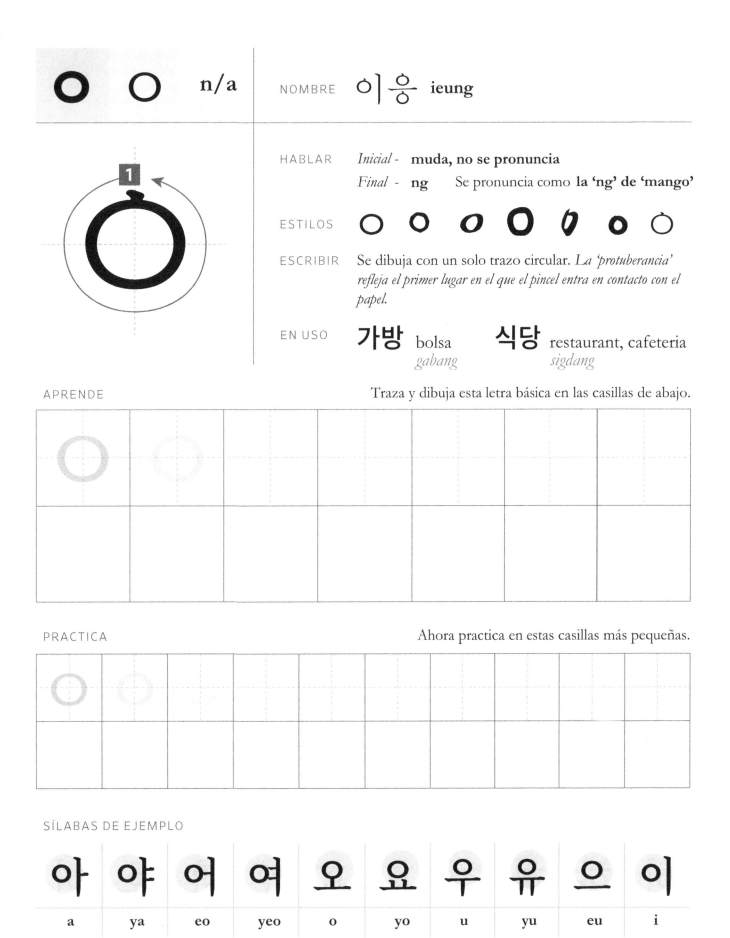

ㅇ ㅇ   **n/a**

NOMBRE   이응 **ieung**

HABLAR   *Inicial -* **muda, no se pronuncia**

Final - **ng**   Se pronuncia como **la 'ng' de 'mango'**

ESTILOS   ㅇ ㅇ ㅇ ㅇ ㅇ ㅇ ㅇ ㅇ

ESCRIBIR   Se dibuja con un solo trazo circular. *La 'protuberancia' refleja el primer lugar en el que el pincel entra en contacto con el papel.*

EN USO   **가방** bolsa *gabang*   **식당** restaurant, cafeteria *sigdang*

APRENDE   Traza y dibuja esta letra básica en las casillas de abajo.

PRACTICA   Ahora practica en estas casillas más pequeñas.

SÍLABAS DE EJEMPLO

아	야	어	여	오	요	우	유	으	이
a	ya	eo	yeo	o	yo	u	yu	eu	i

ㅎ ㅎ h

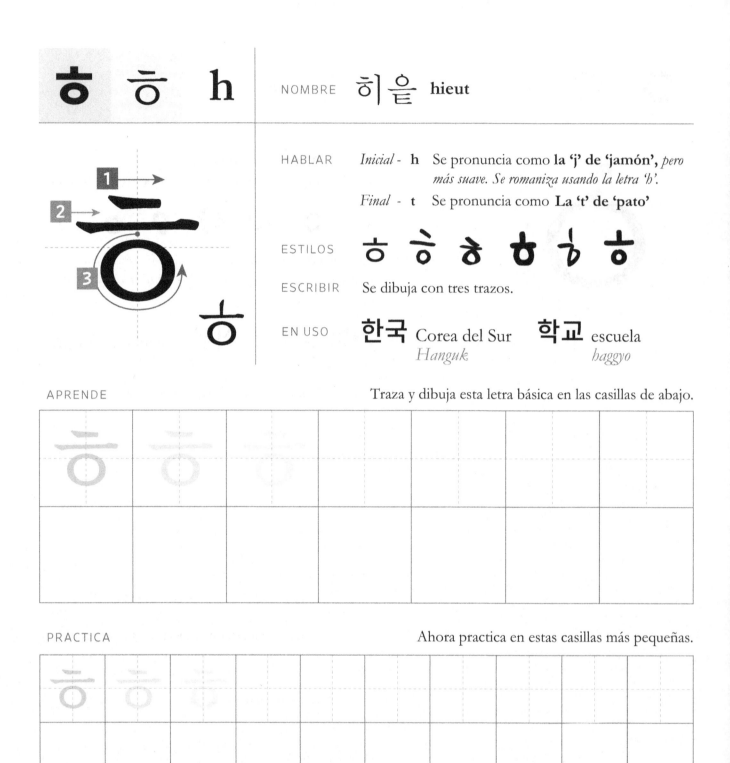

NOMBRE 히읕 **hieut**

HABLAR

Inicial - **h** Se pronuncia como **la 'j' de 'jamón',** *pero más suave. Se romaniza usando la letra 'h'.*

Final - **t** Se pronuncia como **La 't' de 'pato'**

ESTILOS ㅎ ㅎ ㅎ ㅎ ㅎ ㅎ

ESCRIBIR Se dibuja con tres trazos.

EN USO 한국 Corea del Sur 학교 escuela
Hanguk *haggyo*

APRENDE

Traza y dibuja esta letra básica en las casillas de abajo.

PRACTICA

Ahora practica en estas casillas más pequeñas.

SÍLABAS DE EJEMPLO

하	햐	허	혀	호	효	후	휴	흐	히
ha	hya	heo	hyeo	ho	hyo	hu	hyu	heu	hi

ㅏ ㅏ a

NOMBRE   'a' - *tal y como suena*

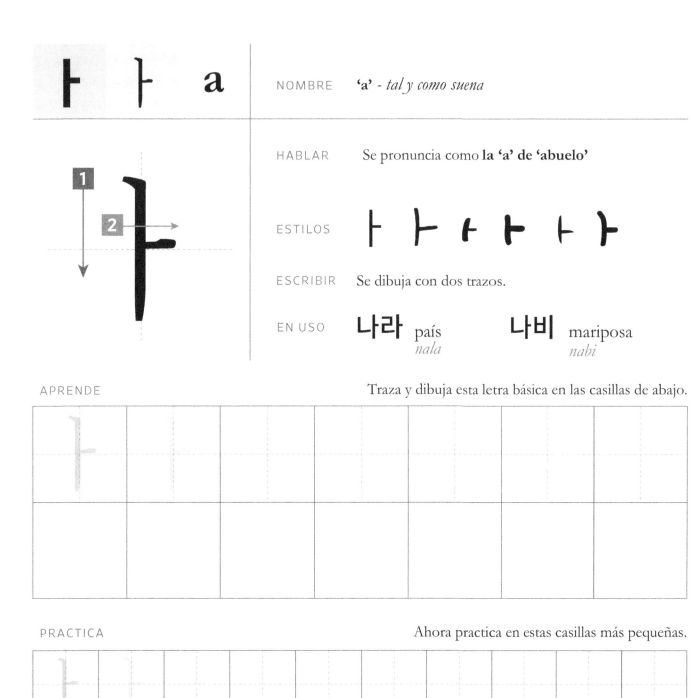

HABLAR   Se pronuncia como **la 'a' de 'abuelo'**

ESTILOS   ㅏ ㅏ ㅏ ㅏ ㅏ ㅏ

ESCRIBIR Se dibuja con dos trazos.

EN USO   **나라** país   **나비** mariposa
          nala   *nabi*

APRENDE   Traza y dibuja esta letra básica en las casillas de abajo.

PRACTICA   Ahora practica en estas casillas más pequeñas.

SÍLABAS DE EJEMPLO

가 카 나 다 타 라 마 바 파 사 자 차 아 하

ga ka na da ta ra ma ba pa sa ja cha a ha

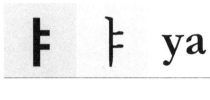 **ya**

NOMBRE	'ya' - *tal y como suena*

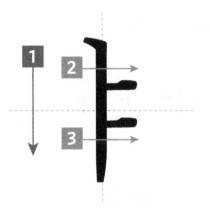

HABLAR — Se pronuncia como **la 'lla' de 'llave'**
Igual que la letra 'a' pero con un sonido suave de 'll' delante, como si dijéramos 'i-a' rápido. Ocurre lo mismo con las demás vocales que llevan un sonido de 'll' delante, se pronuncían como si llevarán una 'i' delante y se dijera rápido junto a la vocal que le sigue.

ESTILOS

ESCRIBIR — Se dibuja con tres trazos.

EN USO — 야구 béisbol   고양이 gato
yagu   *goyangi*

APRENDE   Traza y dibuja esta letra básica en las casillas de abajo.

PRACTICA   Ahora practica en estas casillas más pequeñas.

SÍLABAS DE EJEMPLO

갸	캬	냐	댜	탸	랴	먀	뱌	퍄	샤	쟈	챠	야	햐
gya	kya	nya	dya	tya	rya	mya	bya	pya	sya	jya	chya	ya	hya

ㅓ ㅓ eo

NOMBRE	**'eo'** - *tal y como suena*

HABLAR Se pronuncia como **la 'o' de 'oso'**
pero con la boca más abierta. Se romaniza como 'eo'.

ESTILOS ㅓ ㅓ ㅓ ㅓ ㅓ

ESCRIBIR Se hace con dos trazos.

EN USO **단어** Palabra **영어** Inglés (idioma)
daneo *yeongeo*

APRENDE
Traza y dibuja esta letra básica en las casillas de abajo.

PRACTICA
Ahora practica en estas casillas más pequeñas.

SÍLABAS DE EJEMPLO

거	커	너	더	터	러	머	버	퍼	서	저	처	어	허
geo	keo	neo	deo	teo	reo	meo	beo	peo	seo	jeo	cheo	eo	heo

ㅕ ㅕ yeo

NOMBRE	**'yeo'** - *tal y como suena*
HABLAR	Se pronuncia como **la 'llo' de 'llover'** *pero con la boca un poco más abierta. Igual que 'eo', pero con un sonido suave de 'll' delante.*
ESTILOS	ㅕ ㅕ ㅕ ㅕ ㅕ ㅕ
ESCRIBIR	Se dibuja con tres trazos.
EN USO	편지 Letra 저녁 cena, tarde *pyeonji* *jeonyeog*

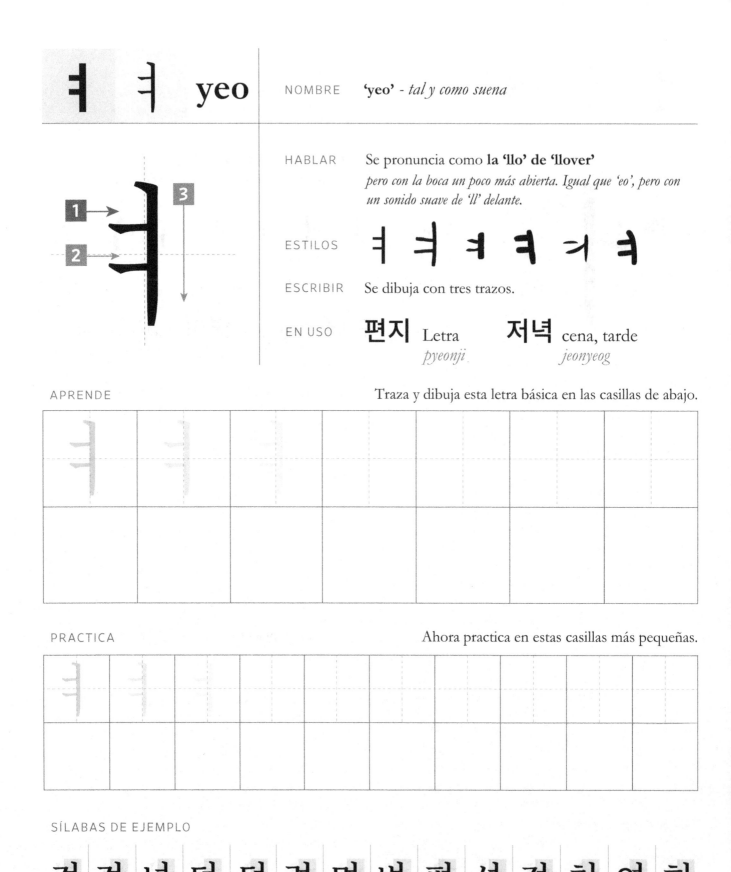

APRENDE

Traza y dibuja esta letra básica en las casillas de abajo.

PRACTICA

Ahora practica en estas casillas más pequeñas.

SÍLABAS DE EJEMPLO

겨	켜	녀	뎌	텨	려	며	벼	펴	셔	져	쳐	여	혀
gyeo	kyeo	nyeo	dyeo	tyeo	ryeo	myeo	byeo	pyeo	syeo	jyeo	chyeo	yeo	hyeo

| | | i

NOMBRE   'i' - *tal y como suena*

HABLAR   Se pronuncia como **la 'i' de 'idea'**
          Boca bien abierta, los dientes acercados (pero no cerrados)

ESTILOS |) | \ |)

ESCRIBIR Se dibuja de un solo trazos.

EN USO   아버지 padre   어머니 madre   아니 no
          abeoji   *eomeoni*   *ani*

APRENDE   Traza y dibuja esta letra básica en las casillas de abajo.

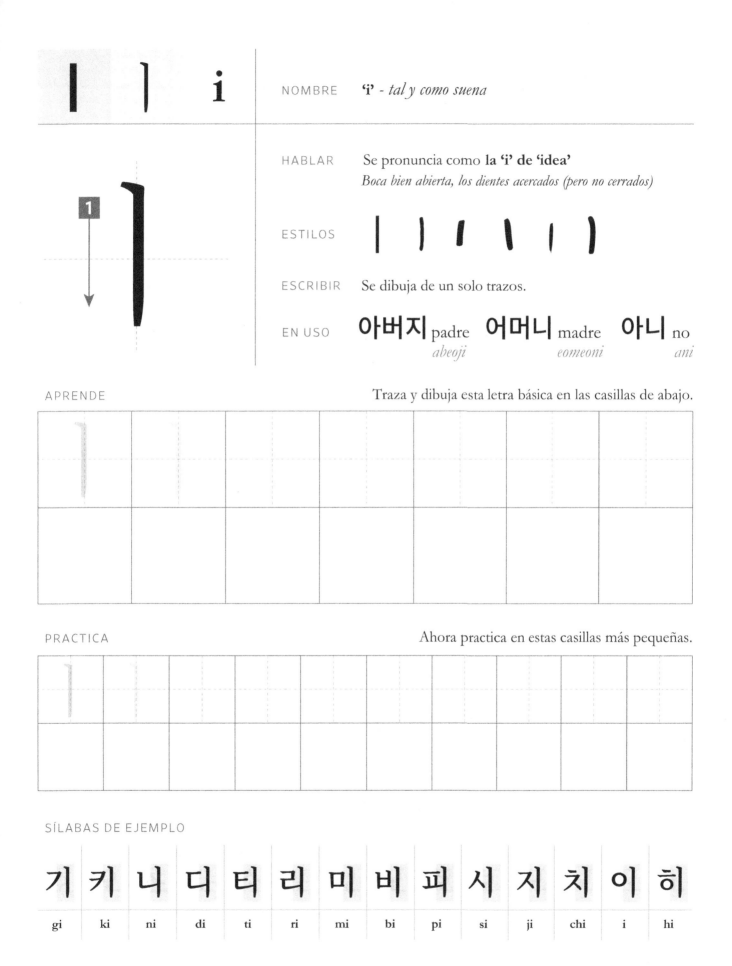

PRACTICA   Ahora practica en estas casillas más pequeñas.

SÍLABAS DE EJEMPLO

기	키	니	디	티	리	미	비	피	시	지	치	이	히
gi	ki	ni	di	ti	ri	mi	bi	pi	si	ji	chi	i	hi

ㅗ ㅗ ㅇ

NOMBRE   'o' - *tal y como suena*

HABLAR   Se pronuncia como **la 'o' de 'oso'**
Abre la boca en forma de O y mantén tus labios quietos.

ESTILOS   ㅗ ㅗ ㅗ ㅗ ㅗ ㅗ

ESCRIBIR   Se dibuja con dos trazos.

EN USO   **손** mano   **동물** animal   **토마토** tomate
   son   *dongmul*   *tomato*

APRENDE   Traza y dibuja esta letra básica en las casillas de abajo.

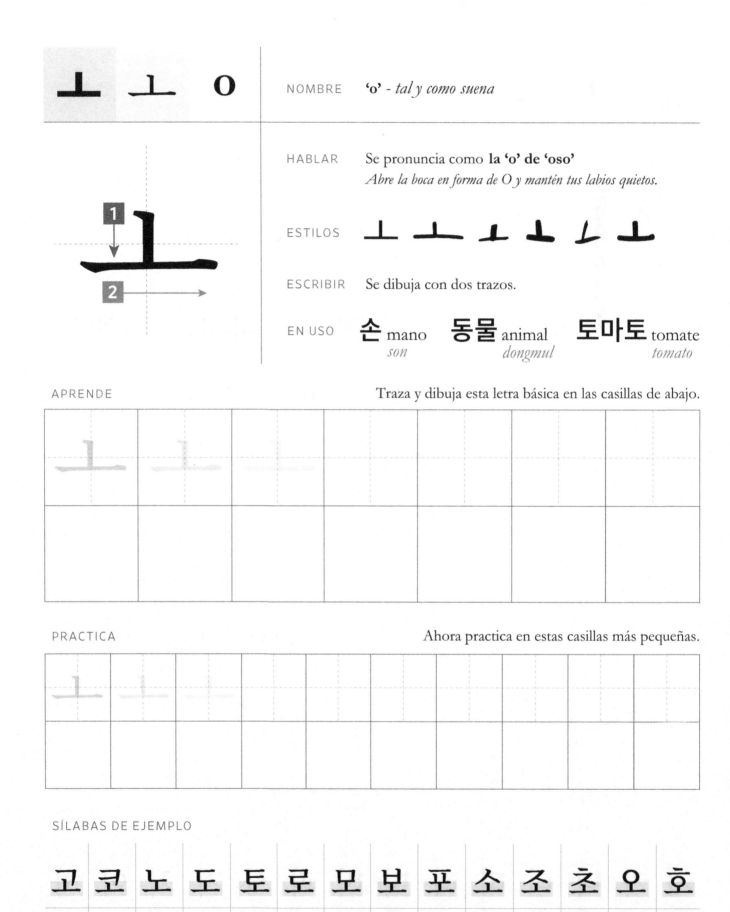

PRACTICA   Ahora practica en estas casillas más pequeñas.

SÍLABAS DE EJEMPLO

고	코	노	도	토	로	모	보	포	소	조	초	오	호
go	ko	no	do	to	ro	mo	bo	po	so	jo	cho	o	ho

36

ㅛ ㅛ yo

NOMBRE   'yo' - *tal y como suena*

HABLAR   Suena como **la 'llo' de 'llover'**
Igual que la letra 'o', pero con un sonido suave de 'll' delante.

ESTILOS   ㅛ ㅛ ㅛ ㅛ ㅛ ㅛ

ESCRIBIR   Se dibuja con tres trazos.

EN USO   요요 yoyo   쉬워요 fácil
           yoyo   *swiwoyo*

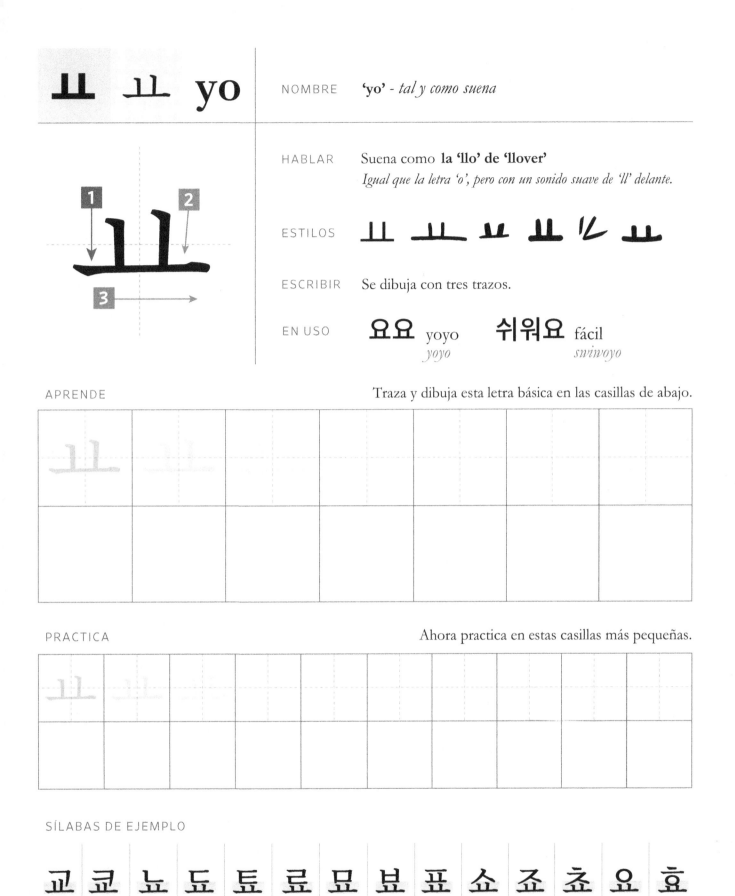

APRENDE

Traza y dibuja esta letra básica en las casillas de abajo.

PRACTICA

Ahora practica en estas casillas más pequeñas.

SÍLABAS DE EJEMPLO

교	쿄	뇨	됴	툐	료	묘	뵤	표	쇼	죠	쵸	요	효
gyo	kyo	nyo	dyo	tyo	ryo	myo	byo	pyo	syo	jyo	chyo	yo	hyo

ㅜ ㅜ **u**

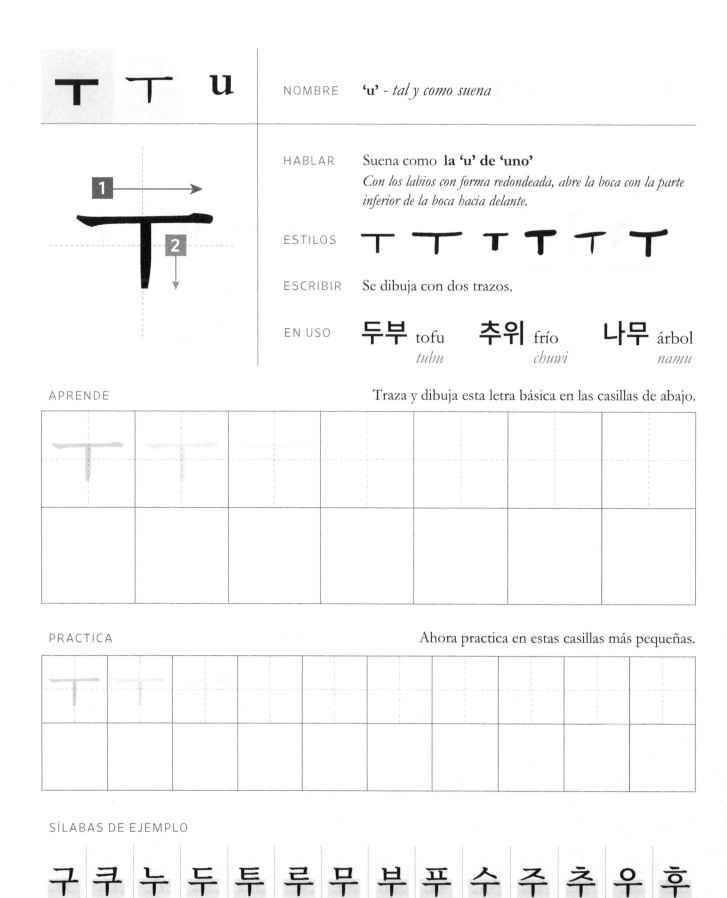

HABLAR   Suena como **la 'u' de 'uno'**
Con los labios con forma redondeada, abre la boca con la parte inferior de la boca hacia delante.

ESTILOS   ㅜ ㅜ ㅜ ㅜ ㅜ ㅜ

ESCRIBIR   Se dibuja con dos trazos.

EN USO   **두부** tofu   **추위** frío   **나무** árbol
tubu   *chuwi*   *namu*

APRENDE   Traza y dibuja esta letra básica en las casillas de abajo.

PRACTICA   Ahora practica en estas casillas más pequeñas.

SÍLABAS DE EJEMPLO

구	쿠	누	두	투	루	무	부	푸	수	주	추	우	후
gu	ku	nu	du	tu	ru	mu	bu	pu	su	ju	chu	u	hu

ㅠ ㅠ yu

NOMBRE	**'yu'** - *tal y como suena*

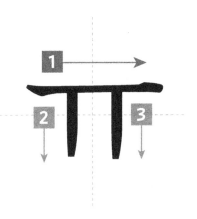

HABLAR   Se pronuncia como **la 'llu' de 'lluvia'**
Igual que la letra 'u', pero con un sonido suave de 'll' delante.

ESTILOS   ㅠ ㅠ ㅠ ㅠ ㅠ ㅠ ㅠ

ESCRIBIR   Se dibuja con tres trazos.

EN USO   자유 libertad   컴퓨터 ordenador
            chayu   *keompyuteo*

APRENDE
Traza y dibuja esta letra básica en las casillas de abajo.

PRACTICA
Ahora practica en estas casillas más pequeñas.

SÍLABAS DE EJEMPLO

규	큐	뉴	듀	튜	류	뮤	뷰	퓨	슈	쥬	츄	유	휴
gyu	kyu	nyu	dyu	tyu	ryu	myu	byu	pyu	syu	jyu	chyu	yu	hyu

— — **eu**

HABLAR   Suena como **la 'u' de 'uva'** - pero para pronunciar correctamente esta vocal, no se mantienen los labios en posición redondeada. *Di 'u' con la boca alargada, las comisuras hacia atrás y los dientes acercados (pero no cerrados)*

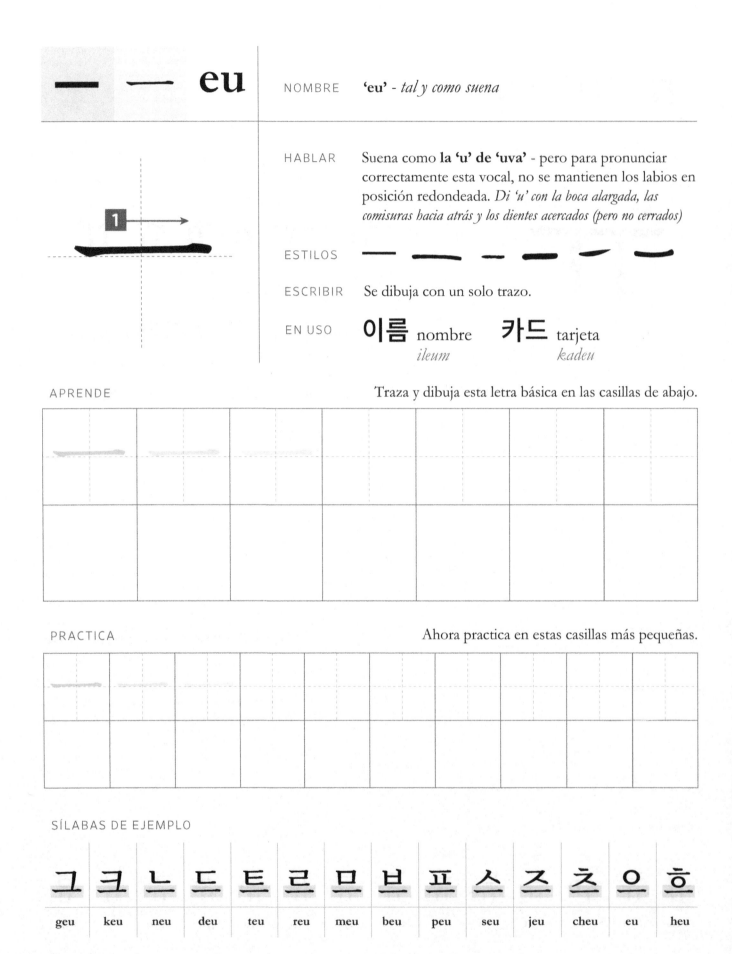

1

ESTILOS   — — — — — —

ESCRIBIR   Se dibuja con un solo trazo.

EN USO   이름 nombre   카드 tarjeta
ileum   *kadeu*

APRENDE   Traza y dibuja esta letra básica en las casillas de abajo.

PRACTICA   Ahora practica en estas casillas más pequeñas.

SÍLABAS DE EJEMPLO

ㄱ	ㅋ	ㄴ	ㄷ	ㅌ	ㄹ	ㅁ	ㅂ	ㅍ	ㅅ	ㅈ	ㅊ	ㅇ	ㅎ
geu	keu	neu	deu	teu	reu	meu	beu	peu	seu	jeu	cheu	eu	heu

Parte 3

REVISIÓN Y PRÁCTICA DEL HANGUL BÁSICO

Combina estas consonantes con la vocal: 아 아

DESCRIBIR
EL SONIDO

ㄱ

ㅋ

ㄴ

ㄷ

ㅌ

ㄹ

EJERCICIOS Combina estas consonantes con la vocal: 야 야

DESCRIBIR
EL SONIDO

ㅁ

ㅂ

ㅍ

ㅅ

ㅈ

ㅊ

NOTA: LOS EJEMPLOS SON PARA PRACTICAR LA ESCRITURA Y PUEDE QUE NO SEAN COMUNES.

Combina estas consonantes con la vocal: 어 **어**

DESCRIBIR
EL SONIDO

ㄱ								
ㅋ								
ㄴ								
ㄷ								
ㅌ								
ㄹ								

EJERCICIOS Combina estas consonantes con la vocal: 여 **여**

DESCRIBIR
EL SONIDO

ㅁ								
ㅂ								
ㅍ								
ㅅ								
ㅈ								
ㅊ								

(Mira las Tablas de Referencia en la Página 123)

Combina estas consonantes con la vocal: 이 **이**

DESCRIBIR
EL SONIDO

ㄱ									
ㅋ									
ㄴ									
ㄷ									
ㅌ									
ㄹ									

EJERCICIOS Combina estas consonantes con la vocal: 으 **으**

DESCRIBIR
EL SONIDO

ㅁ									
ㅂ									
ㅍ									
ㅅ									
ㅈ									
ㅊ									

NOTA: LOS EJEMPLOS SON PARA PRACTICAR LA ESCRITURA Y PUEDE QUE NO SEAN COMUNES.

Combina estas consonantes con la vocal: ㅗ ㅛ

ㄱ								
ㅋ								
ㄴ								
ㄷ								
ㅌ								
ㄹ								

Combina estas consonantes con la vocal: ㅗ ㅛ

ㅁ								
ㅂ								
ㅍ								
ㅅ								
ㅈ								
ㅊ								

(Mira las Tablas de Referencia en la Página 123)

Combina estas consonantes con la vocal: 우 우

ㄱ							
ㅋ							
ㄴ							
ㄷ							
ㅌ							
ㄹ							

EJERCICIOS Combina estas consonantes con la vocal: 유 유 DESCRIBIR EL SONIDO

ㅁ							
ㅂ							
ㅍ							
ㅅ							
ㅈ							
ㅊ							

NOTA: LOS EJEMPLOS SON PARA PRACTICAR LA ESCRITURA Y PUEDE QUE NO SEAN COMUNES.

Combina estas consonantes con la vocal: 오 오

ㄱ							
ㅋ							
ㄴ							
ㄷ							
ㅌ							
ㄹ							

EJERCICIOS Combina estas consonantes con la vocal: 요 요

ㅁ							
ㅂ							
ㅍ							
ㅅ							
ㅈ							
ㅊ							

(Mira las Tablas de Referencia en la Página 123)

1  Esta letra suena como: _____.

- A. la **'llo'** de llover
- B. la **'o'** de oso
- C. la **'i'** de idea
- D. la **'lla'** de llave

_ _ _ _ _

2 _____ se pronuncia como **la 'p' de pizza.**

- A. ㅠ   B. ㅍ
- C. ㅛ   D. ㅂ

_ _ _ _ _

3 ¿Cuál de estas consonantes usamos como un marcador mudo con todas las vocales?

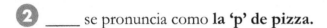

    A.   B.   C.   D.

_ _ _ _ _

4 _____ se pronuncia como **la 'ch' de ancho,** pero con un sonido 'ch' más suave?

- A. ㅅ   B. ㅊ
- C. ㅈ   D. ㅎ

_ _ _ _ _

5  ¿Con cuántos trazos se dibuja este carácter?

¿Puedes dibujar el orden en la imagen?

- A. **2**   B. **4**
- C. **3**   D. **5**

_ _ _ _ _

6  ¿Con cuántos trazos se dibuja este carácter?

¿Puedes dibujar el orden en la imagen?

- A. **2**   B. **4**
- C. **3**   D. **5**

_ _ _ _ _

7 _____ se pronuncia como **la 'i' de idea.**

- A. ㅜ   B. ㅡ
- C. ㅣ   D. ㅗ

_ _ _ _ _

8 ¿Cuál de estos bloques silábicos es incorrecto?

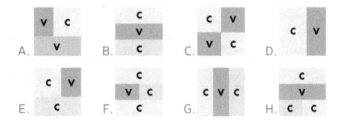

A.   B.   C.   D.

E.   F.   G.   H.

9 _____ se pronuncia como la 'd' de dedo.

- A. ㅋ   B. ㄷ
- C. ㄴ   D. ㅌ

_ _ _ _ _

10 Esta letra suena como: _____.

- A. la **'k'** de kilo
- B. la **'ch'** de chiste
- C. la **'c'** de casa
- D. la **'g'** de gato

_ _ _ _ _

(Mira las Respuestas en la Página 128)

Parte 4

LAS LETRAS HANGUL COMBINADAS

LETRAS COMBINADAS

Después de las letras básicas Hangul, hay que aprender 16 letras adicionales que reciben a menudo el nombre de letras compuestas – pero no son tan complicadas como suenan. De hecho, ¡simplemente están formadas por combinaciones de las letras que ya puedes leer y escribir!

CONSONANTES DOBLES

Este conjunto de letras es relativamente pequeño – solo hay que aprender **5 consonantes dobles 'tensas'**, ¡y son simplemente dos letras iguales juntas! Todas pueden ser utilizadas como consonantes iniciales, pero solo ㄲ y ㅆ pueden ser **batchim** *(veremos esto más adelante).*

ㄲ	ㄸ	ㅃ	ㅆ	ㅉ
gg	*dd*	*bb*	*ss*	*jj*

Se pronuncian igual que sus versiones individuales, con la excepción de que hay que tensar la boca cuando se pronuncian - *¡de ahí viene su nombre!*

Cuando vas a pronunciar una letra, toma una pausa momentánea, de manera que acumularás con naturalidad esa pequeña fuerza adicional detrás de la letra que le sigue. Aquí tienes una actividad rápida que te va a ayudar a entender los sonidos **'tensos'** mejor:

Di la palabra 'tallar' y luego di la palabra 'estallar'. Repítelas y presta especial atención a cómo suenan ambas 't'. ¿Puedes notar y escuchar una diferencia entre las dos?

Cuando se emparejan de esta manera, las consonantes dobles cuentan como una sola letra cuando las escribimos. Por lo tanto, el espacio que ocupan en una sílaba es el mismo que cualquier otra letra individual. Veamos ahora qué apariencia tienen las consonantes dobles dentro de las estructuras silábicas que se muestran abajo:

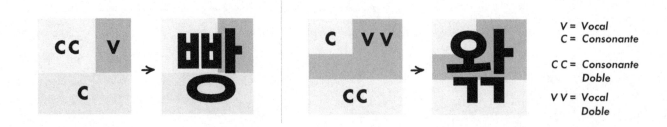

V = Vocal
C = Consonante

C C = Consonante Doble

V V = Vocal Doble

VOCALES DOBLES

Estas vocales dobles, o **diptongos**, se forman con dos vocales básicas. Los sonidos que representan las letras individuales se fusionan para crear un sonido nuevo – pronunciamos los diptongos diciendo las dos vocales unidas muy rápido, como si fuera un único sonido fluido:

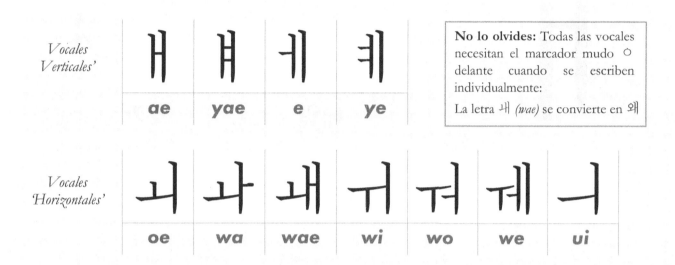

Vocales Verticales'

ᅢ	ᅤ	ᅦ	ᅨ
ae	yae	e	ye

> **No lo olvides:** Todas las vocales necesitan el marcador mudo ㅇ delante cuando se escriben individualmente:
>
> La letra ᅢ *(wae)* se convierte en 왜

Vocales 'Horizontales'

ᅬ	ᅪ	ᅫ	ᅱ	ᅯ	ᅰ	ᅴ
oe	wa	wae	wi	wo	we	ui

La estructura de los bloques silábicos que contienen diptongos también varía dependiendo de las formas de las vocales y del número de letras que contienen:

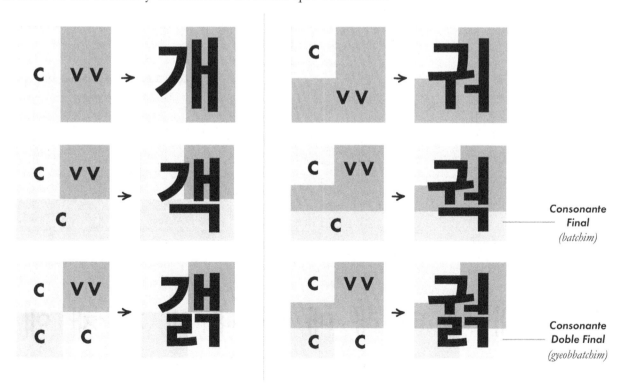

C V V → 개

C V V / C → 객

C V V / C C → 갥

C / V V → 궈

C V V / C → 궉 — Consonante Final *(batchim)*

C V V / C C → 궒 — Consonante Doble Final *(gyeobbatchim)*

ㅐ ㅐ ae

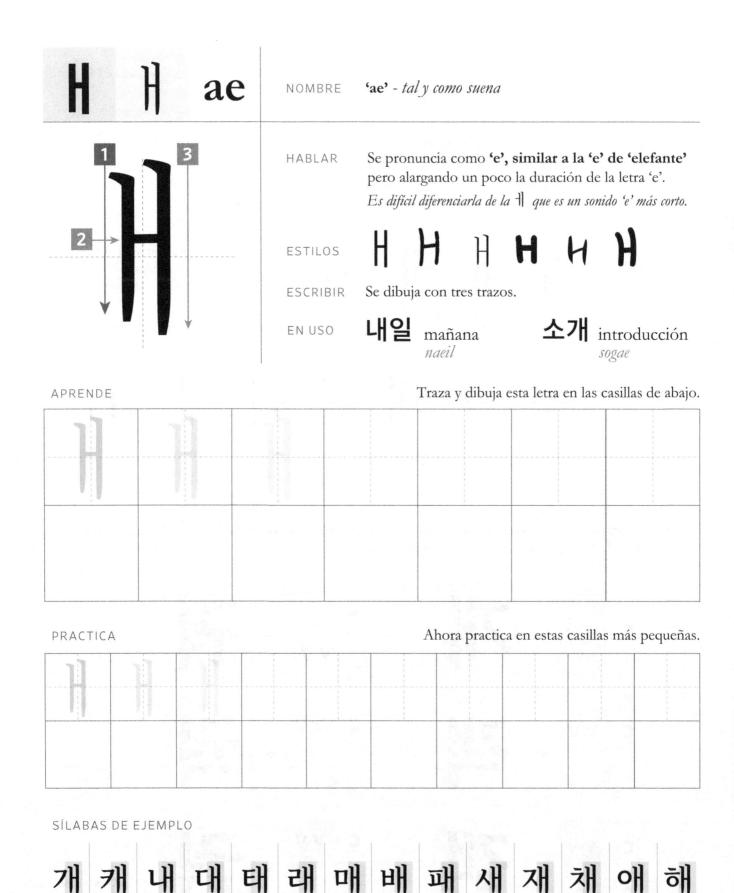

HABLAR

Se pronuncia como **'e', similar a la 'e' de 'elefante'** pero alargando un poco la duración de la letra 'e'.
Es difícil diferenciarla de la ㅔ *que es un sonido 'e' más corto.*

ESTILOS   ㅐ ㅐ ㅐ **ㅐ** ㅐ ㅐ

ESCRIBIR   Se dibuja con tres trazos.

EN USO   **내일** mañana
naeil
     소개 introducción
sogae

APRENDE   Traza y dibuja esta letra en las casillas de abajo.

PRACTICA   Ahora practica en estas casillas más pequeñas.

SÍLABAS DE EJEMPLO

개	캐	내	대	태	래	매	배	패	새	재	채	애	해
gae	kae	nae	dae	tae	rae	mae	bae	pae	sae	jae	chae	ae	hae

| NOMBRE | 'yae' - *tal y como suena* |

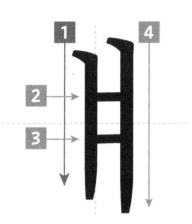

HABLAR Se pronuncia como **'yeh'**, *muy similar a la 'lle' de 'llevar'.*
Igual que 'ae' pero con un sonido de 'll' delante.

ESTILOS ㅒ ㅒ ㅒ ㅒ ㅒ

ESCRIBIR Se dibuja con cuatro trazos.

EN USO 얘기 Historia, cuento
yaegi

APRENDE

Traza y dibuja esta letra en las casillas de abajo.

PRACTICA

Ahora practica en estas casillas más pequeñas.

SÍLABAS DE EJEMPLO

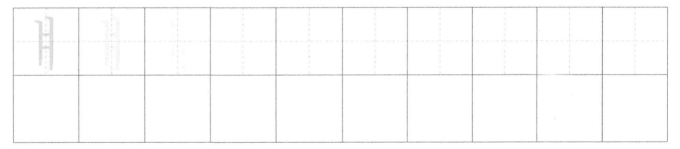

걔	컈	냬	댸	턔	럐	먜	뱨	퍠	섀	쟤	챼	얘	햬
gyae	kyae	nyae	dyae	tyae	ryae	myae	byae	pyae	syae	jyae	chyae	yae	hyae

ㅔ ㅔ e

NOMBRE   'e' - *tal y como suena*

HABLAR   Se pronuncia como **la 'e' de 'enano'**
Es difícil diferenciarla de la ㅐ , que es un sonido 'e' más largo.

ESTILOS   ㅔ ㅔ ㅔ ㅔ ㅔ ㅔ

ESCRIBIR   Se dibuja con tres trazos.

EN USO   **가게** tienda   **어제** ayer
                gage   *eoje*

APRENDE

Traza y dibuja esta letra en las casillas de abajo.

PRACTICA

Ahora practica en estas casillas más pequeñas.

SÍLABAS DE EJEMPLO

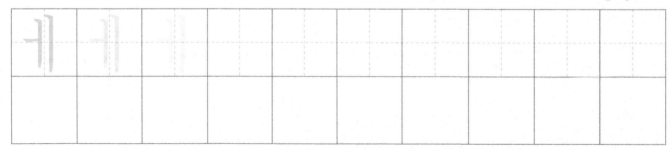

게	케	네	데	테	레	메	베	페	세	제	체	에	헤
ge	ke	ne	de	te	re	me	be	pe	se	je	coe	e	he

ㅖ ㅖ ye

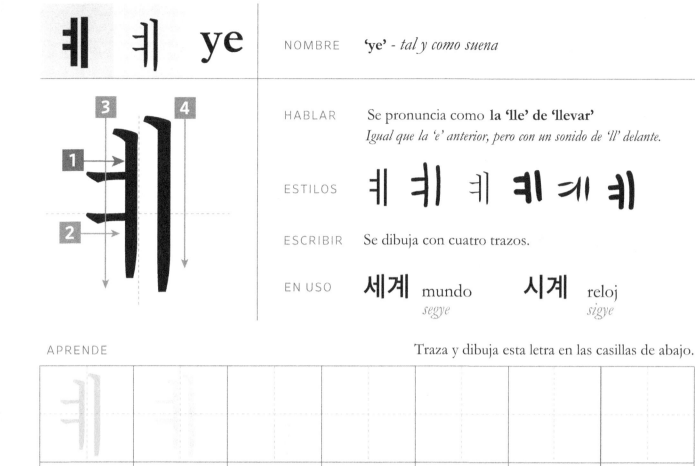

NOMBRE	**'ye'** - *tal y como suena*
HABLAR	Se pronuncia como **la 'lle' de 'llevar'** *Igual que la 'e' anterior, pero con un sonido de 'll' delante.*
ESTILOS	ㅖ ㅖ ㅖ **ㅖ** ㅖ ㅖ
ESCRIBIR	Se dibuja con cuatro trazos.
EN USO	**세계** mundo *segye* **시계** reloj *sigye*

APRENDE

Traza y dibuja esta letra en las casillas de abajo.

PRACTICA

Ahora practica en estas casillas más pequeñas.

SÍLABAS DE EJEMPLO

계	케	녜	뎨	톄	례	몌	볘	폐	셰	졔	쳬	예	혜
gye	kye	nye	dye	tye	rye	mye	bye	pye	sye	jye	chye	ye	hye

ㅚ ㅚ oe

NOMBRE 'oe' - *tal y como suena*

HABLAR Se pronuncia como **como la 'güe' de 'cigüeña'** pero casi sin pronunciar la 'g'. *Como si dijeras 'o-e', pero lo pronuncias como un solo sonido suave y rápido.*

ESTILOS ㅚ ㅗㅣ ㅚ ㅚ ㄴㅣ ㅗㅣ

ESCRIBIR Se dibuja con tres trazos.

EN USO 뇌 cerebro *noe*   회사 compañía *hoesa*

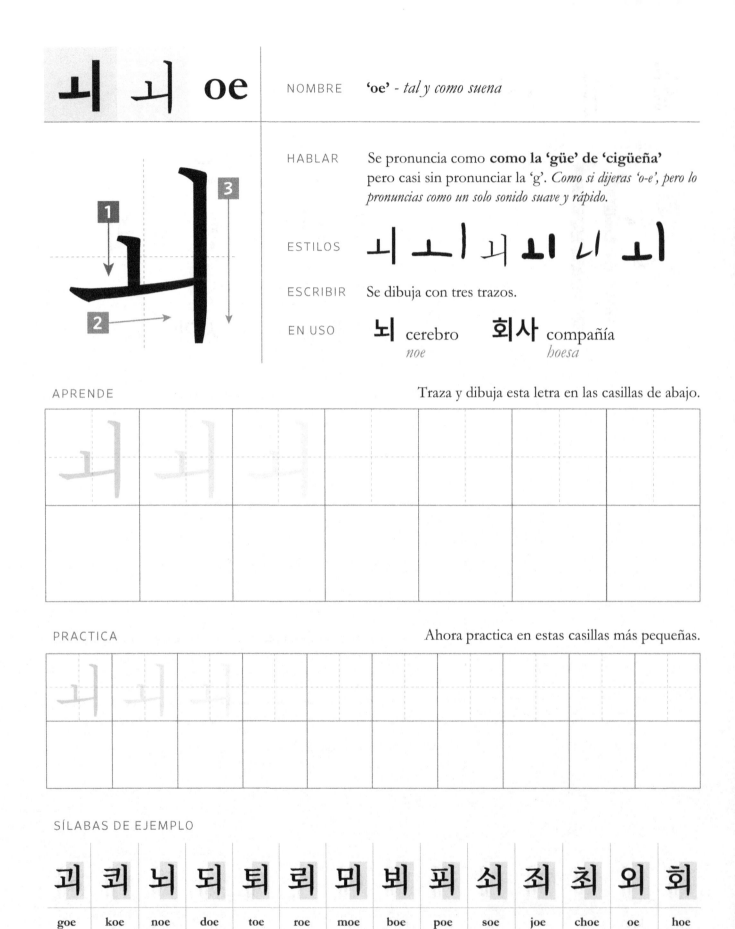

APRENDE

Traza y dibuja esta letra en las casillas de abajo.

PRACTICA

Ahora practica en estas casillas más pequeñas.

SÍLABAS DE EJEMPLO

괴	쾨	뇌	되	퇴	뢰	뫼	뵈	푀	쇠	죄	최	외	회
goe	koe	noe	doe	toe	roe	moe	boe	poe	soe	joe	choe	oe	hoe

나 나 **wa**

NOMBRE   'wa' - *tal y como suena*

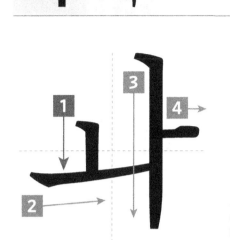

HABLAR   Se pronuncia como **la 'gua' de 'guante'**
con un sonido suave, como si solo pronunciaras 'ua'
Se parece mucho a 'o-a', pero con un solo sonido fluido.

ESTILOS   나 나 나나 나 나

ESCRIBIR   Se dibuja con cuatro trazos.

EN USO   **와!** ¡Vaya!, ¡Oh!   **과일** Frutas
           wa!   *gwail*

APRENDE

Traza y dibuja esta letra en las casillas de abajo.

PRACTICA

Ahora practica en estas casillas más pequeñas.

SÍLABAS DE EJEMPLO

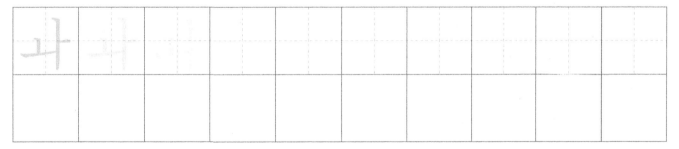

과	콰	놔	돠	톼	롸	뫄	봐	퐈	솨	좌	촤	와	화
gwa	kwa	nwa	dwa	twa	rwa	mwa	bwa	pwa	swa	jwa	chwa	wa	hwa

괘 괘 **wae**

괘 괘

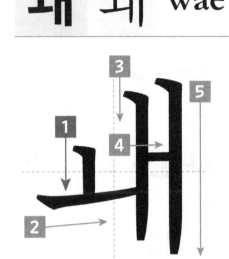

NOMBRE	'wae' - *tal y como suena*

HABLAR	Se pronuncia como **la 'güe' de 'paragüero'** pero pronunciando la 'g' muy suave, como si solo dijeras 'ue'. *Básicamente, 'oh-ae', pero pronunciado como un solo sonido suave.*

ESTILOS	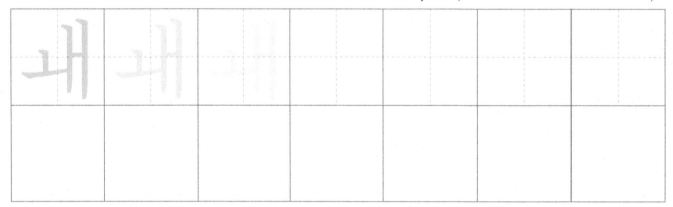

ESCRIBIR	Se dibuja con cinco trazos.

EN USO	**왜요?** ¿por qué?? **인쇄** Imprimir
	waeyo? *inswae*

APRENDE

Traza y dibuja esta letra en las casillas de abajo.

PRACTICA

Ahora practica en estas casillas más pequeñas.

SÍLABAS DE EJEMPLO

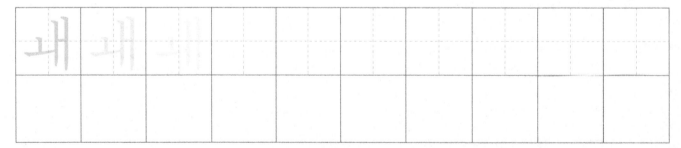

괘	쾌	놰	돼	퇘	뢔	뫠	봬	퐤	쇄	좨	쵀	왜	홰
gwae	kwae	nwae	dwae	twae	rwae	mwae	bwae	pwae	swae	jwae	chwae	wae	hwae

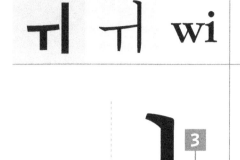 **ᅱ** **ᅱ** **wi**

HABLAR   Se pronuncia como **la 'güi' de 'pingüino'** pero pronunciando la 'g' suavemente, como si solo dijeras 'ui'. *Suena como 'ui', pero pronunciado como un solo sonido suave.*

ESTILOS

ESCRIBIR   Se dibuja con tres trazos.

EN USO   **키위** kiwi   **바퀴** Rueda
         kiwi   *bakwi*

APRENDE

Traza y dibuja esta letra en las casillas de abajo.

PRACTICA

Ahora practica en estas casillas más pequeñas.

SÍLABAS DE EJEMPLO

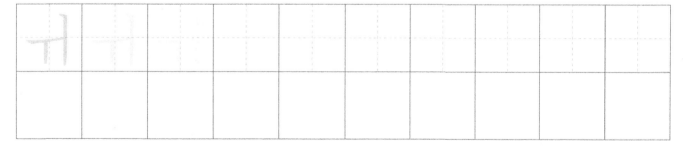

귀	퀴	뉘	뒤	튀	뤼	뮈	뷔	퓌	쉬	쥐	취	위	휘
gwi	kwi	nwi	dwi	twi	rwi	mwi	bwi	pwi	swi	jwi	chwi	wi	hwi

 **wo**

NOMBRE	**'wo'** - *tal y como suena*

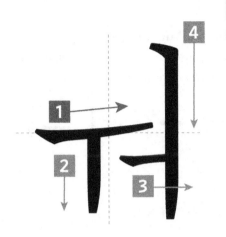

HABLAR	Se pronuncia como **la 'guo' de 'antiguo'** pronunciando la 'g' muy suave, como si solo dijeras 'uo' *Suena como 'uo' pronunciado como un solo sonido corto y suave.*
ESTILOS	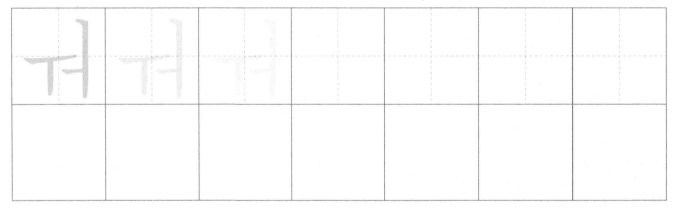
ESCRIBIR	Se dibuja con cuatro trazos.
EN USO	**소원** Deseo *sowon* **법원** Tribunal *beob-won*

APRENDE

Traza y dibuja esta letra en las casillas de abajo.

PRACTICA

Ahora practica en estas casillas más pequeñas.

SÍLABAS DE EJEMPLO

궈	쿼	눠	둬	퉈	뤄	뭐	붜	풔	숴	줘	춰	워	훠
gwo	kwo	nwo	dwo	two	rwo	mwo	bwo	pwo	swo	jwo	chwo	wo	hwo

궤 궤 **we**

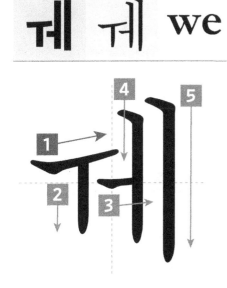

NOMBRE	'we' - *tal y como suena*
HABLAR	Se pronuncia como **'güe' de 'cigüeña'** con una 'g' muy suave. *Suena como 'o-e' y es difícil de diferenciar con* 외 *(oe)*
ESTILOS	궤 궤 궤 **궤** 궤 궤
ESCRIBIR	Se dibuja con cinco trazos.
EN USO	웨딩 Boda *(presente en muy pocas palabras)* *weding*

APRENDE

Traza y dibuja esta letra en las casillas de abajo.

PRACTICA

Ahora practica en estas casillas más pequeñas.

SÍLABAS DE EJEMPLO

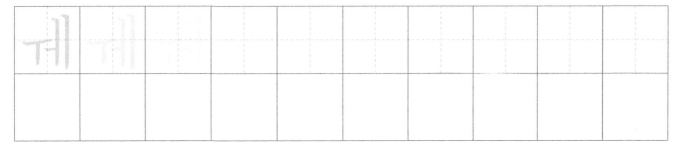

궤	퀘	눼	뒈	퉤	뤠	뭬	붸	풰	쉐	줴	췌	웨	훼
gwe	kwe	nwe	dwe	twe	rwe	mwe	bwe	pwe	swe	jwe	chwe	we	hwe

61

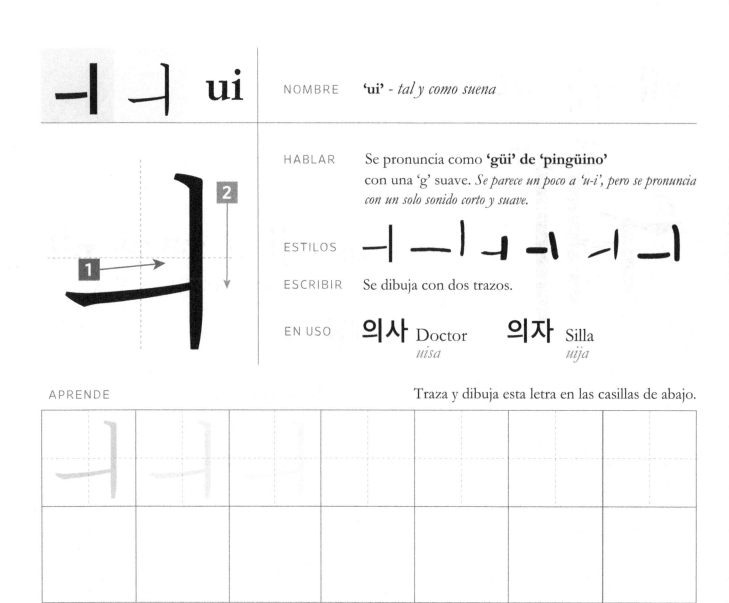

ㅓㅣ **ui**

NOMBRE | **'ui'** - *tal y como suena*

HABLAR | Se pronuncia como **'güi' de 'pingüino'** con una 'g' suave. *Se parece un poco a 'u-i', pero se pronuncia con un solo sonido corto y suave.*

ESTILOS | ㅓㅣ ㅡㅣ ㅓ ㅓ ㅓ ㅓ

ESCRIBIR | Se dibuja con dos trazos.

EN USO | 의사 Doctor *uisa*   의자 Silla *uija*

APRENDE | Traza y dibuja esta letra en las casillas de abajo.

PRACTICA | Ahora practica en estas casillas más pequeñas.

SÍLABAS DE EJEMPLO

긔	킈	늬	듸	틔	릐	믜	븨	픠	싀	즤	츼	의	희
gui	kui	nui	dui	tui	rui	mui	bui	pui	sui	jui	chui	ui	hui

ㄲ ㄲ gg

NOMBRE 쌍기역 **ssang giyeok**

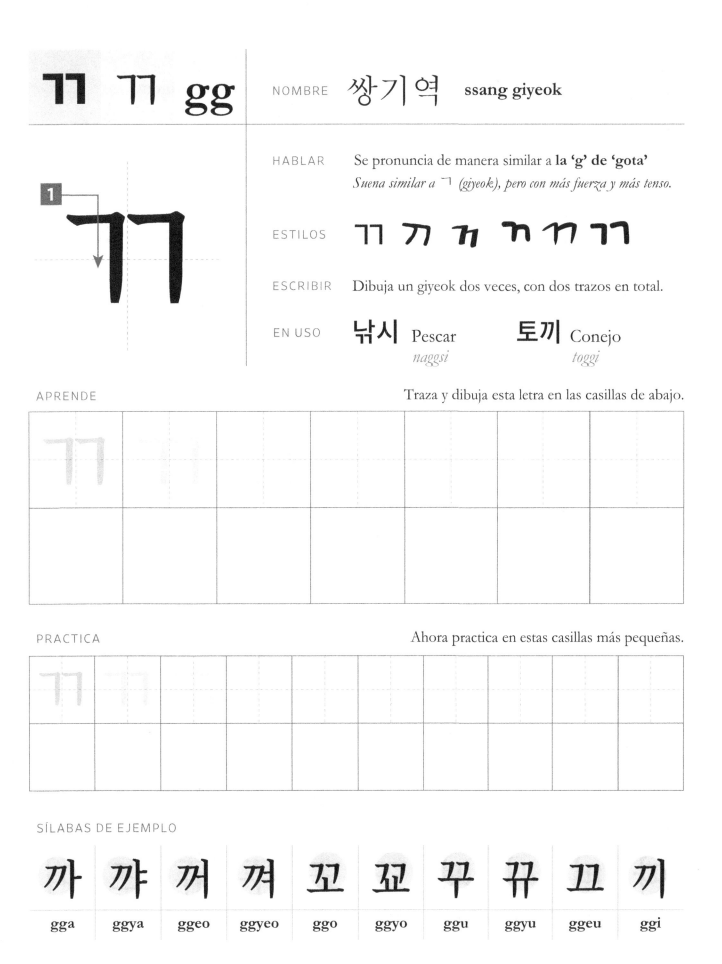

HABLAR Se pronuncia de manera similar a **la 'g' de 'gota'**
Suena similar a ㄱ (giyeok), pero con más fuerza y más tenso.

ESTILOS ㄲ ㄲ ㄲ ㄲ ㄲ ㄲ

ESCRIBIR Dibuja un giyeok dos veces, con dos trazos en total.

EN USO 낚시 Pescar   토끼 Conejo
naggsi   *toggi*

APRENDE

Traza y dibuja esta letra en las casillas de abajo.

PRACTICA

Ahora practica en estas casillas más pequeñas.

SÍLABAS DE EJEMPLO

까	까	꺼	껴	꼬	꾜	꾸	뀨	끄	끼
gga	ggya	ggeo	ggyeo	ggo	ggyo	ggu	ggyu	ggeu	ggi

 **ㄸ dd**

NOMBRE	쌍 디귿	**ssang digeut**

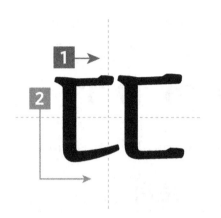

HABLAR

Se pronuncia como **la 'd' de 'disco'**

Suena similar a ㄷ (digeut), pero más tenso y con más fuerza.

ESTILOS ㄸ ㄸ ㄸ ㄸ ㄸ ㄸ

ESCRIBIR Se dibujando un digeut dos veces, con cuatro trazos.

EN USO **머리띠** vincha *meoliddi*   **뜨거운** Caliente *ddeugeoun*

APRENDE Traza y dibuja esta letra en las casillas de abajo.

ㄸ	ㄸ	ㄸ			

PRACTICA Ahora practica en estas casillas más pequeñas.

ㄸ	ㄸ	ㄸ						

SÍLABAS DE EJEMPLO

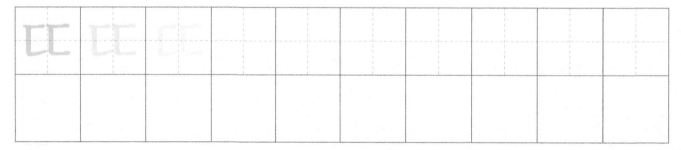

따	땨	떠	뗘	또	뚀	뚜	뜌	뜨	띠
dda	ddya	ddeo	ddyeo	ddo	ddyo	ddu	ddyu	ddeu	ddi

ㅃ 뻐 bb

NOMBRE 쌍 비읍 **ssang bieup**

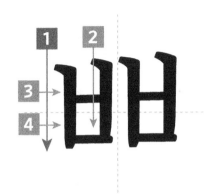

HABLAR Se pronuncia como **la 'b' de 'banana'**
Suena similar a ㅂ (bieup), pero con más fuerza y más tenso.

ESTILOS ㅃ ㅃ ㅃ ㅃ ㅃ ㅃ

ESCRIBIR Dibuja un bieup dos veces, con un total de ocho trazos.

EN USO **빵** Pan   **빠른** Rápido   **바쁜** Ocupado
bbang   *bbaleun*   *babbeun*

APRENDE   Traza y dibuja esta letra en las casillas de abajo.

PRACTICA   Ahora practica en estas casillas más pequeñas.

SÍLABAS DE EJEMPLO

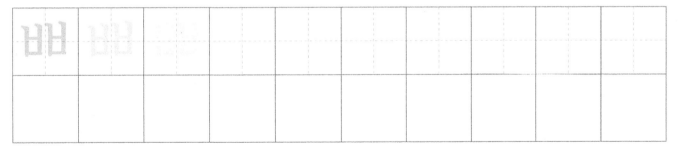

빠	뺘	뻐	뼈	뽀	뾰	뿌	쀼	쁘	삐
bba	bba	bbeo	bbyeo	bbo	bbyo	bbu	bbyu	bbeu	bbi

 **从 SS**

NOMBRE	쌍 시옷 **ssang siot**

从

HABLAR — Se pronuncia como **un sonido de 's-'**, pero con más fuerza al inicio. *Suena similar a ㅅ (siot) pero más tenso.*

ESTILOS — 从 쓰 쌔 쌔 쌔 쌔

ESCRIBIR — Escribe un siot dos veces, con un total de cuatro trazos.

EN USO — 비싼 Caro
bissan

싼 Barato
ssan

APRENDE   Traza y dibuja esta letra en las casillas de abajo.

从	从	从			

PRACTICA   Ahora practica en estas casillas más pequeñas.

从	从	从							

SÍLABAS DE EJEMPLO

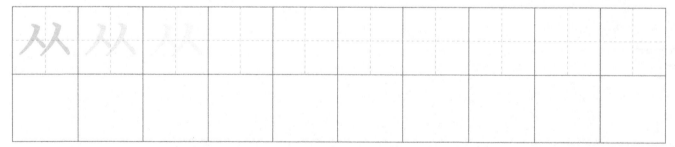

싸	쌰	써	쎠	쏘	쑈	쑤	쓔	쓰	씨
ssa	ssya	sseo	ssyeo	sso	ssyo	ssu	ssyu	sseu	ssi

ㅉ 　ㅉ　jj

NOMBRE　쌍지읏　**ssang jieut**

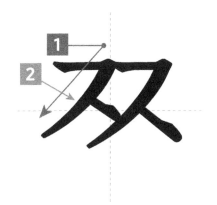

HABLAR　Se pronuncia como **la 'ch' de 'brocha'**.
Suena similar a (jieut), pero más tenso.

ESTILOS　ㅉ　ㅈㅅ　ㅉ　ㅉ　ㅉ　ㅉ

ESCRIBIR　Dibuja un jieut dos veces, con cuatro trazos en total.

EN USO　찌개 Guiso o sopa　　짜다 Salado
　　　　　　　jjigae　　　　　　　　　*jjada*

APRENDE　　　　　　　　　　Traza y dibuja esta letra en las casillas de abajo.

PRACTICA　　　　　　　　　Ahora practica en estas casillas más pequeñas.

SÍLABAS DE EJEMPLO

짜	쨔	쩌	쪄	쪼	쬬	쭈	쮸	쯔	찌
jja	jjya	jjeo	jjyeo	jjo	jjyo	jju	jjyu	jjeu	jji

Combina estas consonantes con la vocal: 애 **애**

DESCRIBIR
EL SONIDO

ㄱ									
ㅋ									
ㄴ									
ㄷ									
ㅌ									
ㄹ									

EJERCICIOS Combina estas consonantes con la vocal: 애 **애**

DESCRIBIR
EL SONIDO

ㅁ									
ㅂ									
ㅍ									
ㅅ									
ㅈ									
ㅊ									

NOTA: LOS EJEMPLOS SON PARA PRACTICAR LA ESCRITURA Y PUEDE QUE NO SEAN COMUNES.

Combina estas consonantes con la vocal: 에 **에**   DESCRIBIR
                                                                                        EL SONIDO

ㄱ								
ㅋ								
ㄴ								
ㄷ								
ㅌ								
ㄹ								

EJERCICIOS   Combina estas consonantes con la vocal: 예 **예**   DESCRIBIR
                                                                                        EL SONIDO

ㅁ								
ㅂ								
ㅍ								
ㅅ								
ㅈ								
ㅊ								

(Mira las Tablas de Referencia en la Página 123)

Combina estas consonantes con la vocal: 외 **외**

ㄱ									
ㅋ									
ㄴ									
ㄷ									
ㅌ									
ㄹ									

EJERCICIOS   Combina estas consonantes con la vocal: 와 **와**

DESCRIBIR EL SONIDO

ㅁ									
ㅂ									
ㅍ									
ㅅ									
ㅈ									
ㅊ									

NOTA: LOS EJEMPLOS SON PARA PRACTICAR LA ESCRITURA Y PUEDE QUE NO SEAN COMUNES.

Combina estas consonantes con la vocal: **왜 왜**

ㄱ							
ㅋ							
ㄴ							
ㄷ							
ㅌ							
ㄹ							

EJERCICIOS   Combina estas consonantes con la vocal: **위 위**

DESCRIBIR EL SONIDO

ㅁ							
ㅂ							
ㅍ							
ㅅ							
ㅈ							
ㅊ							

(Mira las Tablas de Referencia en la Página 123)

Combina estas consonantes con la vocal: **워 워**

DESCRIBIR
EL SONIDO

ㄱ								
ㅋ								
ㄴ								
ㄷ								
ㅌ								
ㄹ								

EJERCICIOS Combina estas consonantes con la vocal: **웨 웨**

DESCRIBIR
EL SONIDO

ㅁ								
ㅂ								
ㅍ								
ㅅ								
ㅈ								
ㅊ								

NOTA: LOS EJEMPLOS SON PARA PRACTICAR LA ESCRITURA Y PUEDE QUE NO SEAN COMUNES.

EJERCICIOS   Combina estas consonantes con la vocal: 의 **의**

DESCRIBIR EL SONIDO

ㄱ								
ㅋ								
ㄴ								
ㄷ								
ㅌ								
ㄹ								

EJERCICIOS   Combina las vocales de abajo con una inicial: ㄲ **ㄲ**

DESCRIBIR EL SONIDO

야								
요								
오								
이								
유								
어								

(Mira las Tablas de Referencia en la Página 123)

Combina las vocales de abajo con una inicial: ㄸ ㄸ

DESCRIBIR
EL SONIDO

아									
우									
으									
여									
애									
왜									

EJERCICIOS   Combina las vocales de abajo con una inicial: ㅃ ㅃ

DESCRIBIR
EL SONIDO

외									
애									
위									
예									
여									
유									

NOTA: LOS EJEMPLOS SON PARA PRACTICAR LA ESCRITURA Y PUEDE QUE NO SEAN COMUNES.

EJERCICIOS Combina las vocales de abajo con una inicial: 从 ㅆ | DESCRIBIR EL SONIDO

야							
요							
오							
이							
유							
어							

EJERCICIOS Combina las vocales de abajo con una inicial: 及 ㅉ | DESCRIBIR EL SONIDO

위							
야							
유							
왜							
여							
의							

(Mira las Tablas de Referencia en la Página 123)

1

Esta letra suena como _____.

A. la 'e' de enano

B. la 'guo' de antiguo

C. la 'lla' de llave

D. la 'lle' de llevar

_____

6

¿Con cuántos trazos se dibuja este carácter?

¿Puedes trazar el orden en la imagen?

A. 6   B. 8

C. 10   D. 12

_____

2 ¿Cuántos diptongos hay en Hangul?

A. 10   B. 11

C. 12   D. 13

_____

7 ____ se pronuncia como 'ae'.

A. ㅖ   B. ㅒ

C. ㅐ   D. ㅔ

_____

3 ¿Cuál de estos bloques silábicos es incorrecto?

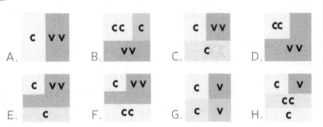

8 ¿Cuál de estas letras consonantes dobles suena como la 'b' de bananas?

ㄸ ㄲ ㅉ ㅃ

A.   B.   C.   D.

_____

4 Selecciona la forma correcta de escribir la fruta kiwi:

A. 그외   B. 지위

C. 키위   D. 끼외

_____

9 ¿Puedes adivinar qué es un 컴퓨터?

A. Comediante   B. Edredón

C. Ordenador   D. Compañía

_____

5

Esta letra suena como _____.

A. la 'güi' de pingüino

B. la 'güe' de paragüero

C. la 'guo' de antiguo

D. la 'güe' de cigüeña

_____

10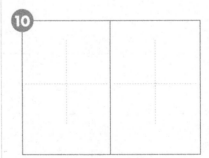

¿Puedes escribir la palabra **Hangeul**?

_____

(Mira las Respuestas en la Página 128)

76

Parte 5

CONSONANTES COMPLEJAS Y FINALES

받침

CONSONANTES 'FINALES'

En páginas anteriores vimos brevemente las 받침 **batchim** (*consonantes finales*) cuando estudiamos la formación de sílabas. Son simplemente consonantes que cambian su pronunciación cuando se colocan al final de una sílaba. Cualquier sílaba que tenga al menos 3 letras puede tener una 받침 y puede ser de consonante simple o doble.

Las 받침 **batchim**, que son una característica única de la lengua coreana, son difíciles de explicar completamente en español, así que no es una sorpresa que sea uno de los conceptos más complejos de entender para los principiantes. Intentaremos simplificar las cosas en este apartado.

BATCHIM Y GYEOBBATCHIM

Las letras 받침 parecen consonantes normales, pero tienen una pronunciación diferente. Dos consonantes que ocupan el lugar inferior de una sílaba reciben el nombre de **gyeobbatchim** 겹받침 (*consonantes dobles finales*).

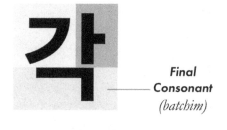

Final Consonant (batchim)

Las 겹받침 **son 11 combinaciones de consonantes nuevas** que hay que aprender, y una vez más, se forman con las letras básicas: ㄳ ㄵ ㄶ ㄺ ㄻ ㄼ ㄽ ㄾ ㄿ ㅀ y ㅄ. A diferencia de las consonantes dobles 'combinadas' que vimos antes, estas letras **solo se usan al final de una sílaba** y nunca en cualquier otra posición.

Double Final Consonant (gyeobbatchim)

> Para mantener las cosas lo más simple posible, la manera más fácil de explicar las 받침 es que todas se pronuncian de una de las siete formas básicas, usando los sonidos asociados con las consonantes Hangul básicas: ㄱ ㄴ ㄷ ㄹ ㅁ ㅂ y ㅇ (*mira la tabla de la Página 99*).

¡CONSEJO IMPORTANTE!

La manera en la que pronunciamos los sonidos de las consonantes finales requiere atención adicional y práctica. En nuestra propia lengua, cuando se sitúan al final de una palabra, las consonantes como la '-d' de 'pared' suenan muy débiles por lo general, llegando a no pronunciarse muchas veces. Esto no ocurre con las letras 받침 en coreano – practica el sonido de las 받침 para poder pronunciarlas de una manera más precisa.

Las consonantes complejas en posición final, las 겹받침 *(gyeobbatchim)*, contienen dos letras, pero normalmente pronunciamos solo una de ellas – depende de si la sílaba está unida a otra o no, y de si esa siguiente sílaba empieza por vocal o consonante.

Cuando están al final de una palabra o van seguidas de una sílaba que empieza por consonante, solo pronunciamos el primer sonido de las letras ㄳ ㄵ ㄶ ㄺ ㄽ ㄾ ㅀ y ㅄ. En cambio, con las letras ㄺ ㄻ y ㄿ, pronunciamos solo el segundo sonido. ¡Será más fácil recordar las tres letras en las cuales pronunciamos la segunda consonante en vez de memorizarlas todas!

Se aplica una regla diferente a todas las 받침 simples o dobles que van seguidas de una vocal inicial adyacente. Los sonidos empiezan a transmitirse de una sílaba a la siguiente, creando sonidos más fluidos y facilitando la pronunciación. *¡No te preocupes, hablaremos más sobre este aspecto un poco más adelante!*

Este es el último grupo de letras que necesitamos aprender:

ㄳ ㄳ k	**HABLAR** Pronuncia la **primera** letra con el sonido ㄱ final.

ㄳ	**ESTILOS** ㄳ ㄳ ㄳ ㄳ ㄳ ㄳ
	ESCRIBIR Dibuja **giyeok + siot** con 3 trazos en total.
	EN USO 삯 Sueldos 몫 parte, porción
	sags *mogs*

PRACTICA   Traza y dibuja esta letra en las casillas de abajo.

ㄳ						

ㄵ ㄵ **n**

ㄵ

HABLAR		Pronuncia la **primera** letra con el sonido ㄴ final.
ESTILOS		ㄵ ㄴㅈ ㄵ **ㄴㅈ** ㄴㅈ ㄴㅈ
ESCRIBIR		Dibuja **niun + jieut** con 4 trazos en total.
EN USO		앉다 *anjda* 앉으세요 *anjeuseyo* Sentarse Por favor, siéntese/sentáos

PRACTICA   Traza y dibuja esta letra en las casillas de abajo.

ㄵ	ㄵ	ㄵ				

ㄴㅎ ㄴㅎ **n**

ㄴㅎ

HABLAR		Pronuncia la **primera** letra con el sonido ㄴ final.
ESTILOS		ㄴㅎ ㄴㅎ ㄴㅎ **ㄴㅎ** ㄴㅎ ㄴㅎ
ESCRIBIR		Dibuja **nieun + hieut** con 4 trazos en total.
EN USO		많다 Muchos *manhda*

PRACTICA   Traza y dibuja esta letra en las casillas de abajo.

ㄴㅎ	ㄴㅎ	ㄴㅎ				

ㄹㄱ ㄹㄱ **k**

HABLAR   Pronuncia la **segunda** letra con el sonido ㄱ final.

ㄹㄱ

ESTILOS   ㄹㄱ   ㄹㄱ   ㄹㄱ   **ㄹㄱ**   ㄹㄱ   ㄹㄱ

ESCRIBIR   Dibuja **rieul + giyeok** con 4 trazos en total.

EN USO   **읽다** Leer   **닭이** Pollos
                 ilgda   *dalgi*

PRACTICA   Traza y dibuja esta letra en las casillas de abajo.

ㄹㄱ								

ㄹㅁ ㄹㅁ **m**

HABLAR   Pronuncia la **segunda** letra con el sonido ㅁ final.

ㄹㅁ

ESTILOS   ㄹㅁ   ㄹㅁ   ㄹㅁ   **ㄹㅁ**   ㄹㅁ   ㄹㅁ

ESCRIBIR   Dibuja **rieul + mieum** con 6 trazos en total.

EN USO   **삶** Vida   **젊다** Ser joven
             salm   *jeolmda*

PRACTICA   Traza y dibuja esta letra en las casillas de abajo.

ㄹㅁ	ㄹㅁ							

래 래 1

HABLAR   Pronuncia la **primera** letra con el sonido ㄹ final.

래

ESTILOS   래 ㄹㅂ 래 **ㄹㅂ** 래 ㄹㅂ

ESCRIBIR   Dibuja **rieul + bieup** con 7 trazos en total.

EN USO   **짧은** Corto   **넓다** Ser amplio, espacioso
               jjalbeun   *neolbda*

PRACTICA   Traza y dibuja esta letra en las casillas de abajo.

래	래							

리 리 1

HABLAR   Pronuncia la **primera** letra con el sonido ㄹ final.

ㄹㅅ

ESTILOS   리 ㄹㅅ 리 **리** 리 ㄹㅅ

ESCRIBIR   Dibuja **rieul + siot** con 5 trazos en total.

EN USO   **외곬** Fuera (de), *o* (en el) exterior
               oegols

PRACTICA   Traza y dibuja esta letra en las casillas de abajo.

리	리	리						

ㄹㅌ ㄹㅌ 1

ㄹㅌ

HABLAR   Pronuncia la **primera** letra con el sonido ㄹ final.

ESTILOS   ㄹㅌ ㄹㅌ ㄹㅌ **ㄹㅌ** ㄹㅌ ㄹㅌ

ESCRIBIR   Dibuja **rieul + tieut** con 6 trazos en total.

EN USO   핥다   Lamer

haltda

PRACTICA

Traza y dibuja esta letra en las casillas de abajo.

ㄹㅌ								

ㄹㅍ ㄹㅍ p

ㄹㅍ

HABLAR   Pronuncia la **segunda** letra con el sonido ㅂ final.

ESTILOS   ㄹㅍ ㄹㅍ ㄹㅍ **ㄹㅍ** ㄹㅍ ㄹㅍ

ESCRIBIR   Dibujar **rieul + pieup** con 7 trazos en total.

EN USO   읊다   Recitar

eulpda

PRACTICA

Traza y dibuja esta letra en las casillas de abajo.

ㄹㅍ	ㄹㅍ							

랄 랳 1

HABLAR Pronuncia la **primera** letra con el sonido ㄹ final.

랳

ESTILOS 랳 ㄹㅎ 랳 **랳** 랳 랳

ESCRIBIR Dibuja **rieul + hieut** con un total de 6 trazos.

EN USO 끓다 Hervir   잃다 Perder
kkeulhda   *ilhda*

PRACTICA Traza y dibuja esta letra en las casillas de abajo.

랳	랳	랳						

ㅄ ㅄ p

HABLAR Pronuncia la **primera** letra con el sonido ㅂ final.

ㅄ

ESTILOS ㅄ ㅄ ㅄ **ㅄ** ㅄ ㅄ

ESCRIBIR Dibuja **bieup + siot** con un total de 6 trazos.

EN USO 값을 Precio   없다 No existir, no tener
gabseul   *eobsda*

PRACTICA Traza y dibuja esta letra en las casillas de abajo.

ㅄ	ㅄ	ㅄ						

Construye bloques silábicos con las letras de abajo:

					DESCRIBIR EL SONIDO
ㄱ + 아 + ㄳ					
ㅁ + 요 + ㄵ					
ㅂ + 우 + ㅀ					
ㄲ + 이 + ㄹ					
ㅍ + 애 + ㄻ					
ㅅ + 에 + ㄺ					
ㅈ + 야 + ㄳ					
ㅃ + 어 + ㄾ					
ㅊ + 유 + ㄿ					
ㅌ + 여 + ㅀ					
ㄹ + 오 + ㅄ					
ㄷ + 애 + ㄵ					
ㅋ + 으 + ㄺ					
ㅆ + 우 + ㄾ					

(Mira las Respuestas en la Página 127)

Construye bloques silábicos con las letras de abajo:

ㅍ + 야 + ᄚ					
ㅂ + 애 + ᄙ					
ㄹ + 와 + ᆳ					
ㅈ + 유 + ᆴ					
ㅃ + 야 + ᆵ					
ㄴ + 왜 + ㄲ					
ㅎ + 오 + ᇹ					
ㅂ + 이 + ᆹ					
ㅁ + 위 + ᆨᄉ					
ㄸ + 아 + ᄙ					
ㅅ + 우 + ᆴ					
ㄴ + 워 + ᆬ					
ㅉ + 왜 + ᆭ					
ㄷ + 예 + ᆯ					

NOTA: LOS EJEMPLOS SON PARA PRACTICAR LA ESCRITURA Y PUEDE QUE NO SEAN COMUNES.

Construye bloques silábicos con las letras de abajo: | DESCRIBIR EL SONIDO

ㄱ + 예 + ㄤ					
ㄲ + 와 + ㄽ					
ㅁ + 으 + ㄲ					
ㅋ + 야 + ㄳ					
ㅈ + 애 + ㄵ					
ㅃ + 요 + ㄿ					
ㅊ + 아 + ㄶ					
ㅌ + 유 + ㄿ					
ㅂ + 왜 + ㅄ					
ㅍ + 오 + ㄵ					
ㄹ + 의 + ㄶ					
ㄷ + 이 + ㄻ					
ㅋ + 얘 + ㄺ					
ㅎ + 요 + ㄳ					

(Mira las Respuestas en la Página 127)

87

1  ¿Cómo suena la consonante ᆪ?

A. Como la **'g'** de gato
B. Como la **'c'** de casa
C. Como la **'t'** de pato
D. Como la **'s'** de salida

_ _ _ _

6  ¿Cómo suena ᆰ?

A. Como la **'g'** in gum
B. Como la **'k'** in dock
C. Como la **'l'** in laugh
D. Como la **'r'** in run

_ _ _ _

2 ¿Cuántos caracteres 겹받침 hay?

A. **7**   B. **9**
C. **11**   D. **13**

_ _ _ _

7 La **pronunciación** correcta de 맑게 es:

A. [말께]   B. [마께]
C. [말게]   D. [마게]

_ _ _ _

3 ¿En qué 겹받침 pronunciamos la segunda letra al final de una palabra?

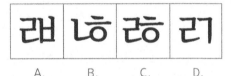

A.   B.   C.   D.

_ _ _ _

8 Seguida de una sílaba que empieza por vocal, ¿cuál de las siguientes consonantes suena como la **'k'** de **'kilo'**?

A.   B.   C.   D.

_ _ _ _

4 Hay ___ sonidos 받침 simplificados?

A. **8**   B. **7**
C. **6**   D. **5**

_ _ _ _

9 La **pronunciación** correcta de 값을 es:

A. [갓블]   B. [가블]
C. [가쁠]   D. [갑슬]

_ _ _ _

5  ¿Cómo suena ㄹ?

A. Como la **'m'** de mamá
B. Como la **'s'** de salida
C. Como la **'l'** de cuál
D. No se pronuncia

_ _ _ _

10 삼에 ¿Cómo suena ㄹ?

A. Como la **'m'** de mamá
B. Como la **'s'** de salida
C. Como la **'l'** de cuál
D. No se pronuncia

_ _ _ _

(Mira las Respuestas en la Página 128)

Parte 6

REGLAS Y CAMBIOS DE SONIDOS

CAMBIOS DE SONIDOS

Las palabras coreanas normalmente están formadas por más de un bloque silábico y, naturalmente, las frases contienen muchos más. A medida que unimos sílabas, ciertas combinaciones de letras producen diferentes sonidos cuando intentamos articularlas – esto ocurre cuando aceleramos nuestra articulación para conversar. Sucede con regularidad en nuestra lengua materna, sin ninguna duda, pero es algo que necesitamos aprender cuando estamos estudiando un nuevo idioma con diferentes sonidos y con diferentes combinaciones de letras.

Para hacer que el discurso diario suene más natural y para facilitar nuestra pronunciación en general, hay una serie de **reglas de cambio de sonido** que tenemos que aprender. Las reglas describen los cambios que tienen lugar donde se encuentran las combinaciones de estas letras y sílabas específicas, y las palabras escritas son diferentes a cómo suenan en el discurso y en la conversación.

A lo largo de este capítulo vamos a ver una serie de reglas de cambio de sonido que puede que no sean completamente relevantes para los principiantes. Esta información puede parecer mucho más intensa que la de los capítulos anteriores en los que simplemente aprendimos el alfabeto Hangul. Marca estas páginas para volver a leerlas cuando te encuentres con cualquier pronunciación confusa.

Las malas noticias para los principiantes es que estas reglas tienen que memorizarse. Al principio puede parecer que hay muchas y que son confusas, pero, cuando entiendas dónde se usan e incluso sepas usarlas en la práctica, descubrirás que te ayudarán a pronunciar el coreano con más naturalidad - ¡pueden incluso ayudarte a desarrollar un acento que suene más nativo!

ORTOGRAFÍA VS. PRONUNCIACIÓN

약 & 약 = *se pronuncian igual* | 짚 & 집 = *se pronuncian igual*

No lo solemos ver en español, pero podemos observar que hay lenguas en las que las palabras se escriben y se pronuncian de manera diferente. Pongamos de ejemplo la lengua inglesa, las palabras *'I'* y *'eye'* se pronuncian de la misma manera, pero se escriben completamente diferente. Estas palabras las diferenciamos por cómo se escriben o por el contexto en el que se usan. La ortografía tiene que conservarse para que podamos entender el origen de la palabra y cualquier significado más profundo que haya detrás de ella.

ASIMILACIÓN

Es el proceso mediante el cual la consonante final de una sílaba interactúa con la letra inicial de la siguiente sílaba, cambiando el sonido de una letra, o de las dos. Cuando aparecen solas, las sílabas y las letras actúan justo como te esperas, con los sonidos que representa cada letra Hangul según lo que has aprendido. Pero cuando se pronuncian junto a otras sílabas o letras en las palabras, a una velocidad normal, los sonidos de esas letras se asimilan unos a otros.

Algunas reglas son muy generales, mientras que otras pueden ser muy específicas, indicando incluso cómo debería pronunciarse solo una letra en un lugar y en una situación en concreto. Como ejemplo, aquí tienes la primera de muchas reglas de cambio de sonido que vamos a ver en este capítulo:

ㄴ + ㄹ o ㄹ + ㄴ = ㄹ + ㄹ

연락 → 열락

Ortografía   *Pronunciación*

1 Cuando las letras ㄴ y ㄹ se encuentran entre sílabas, pronunciamos la ㄴ como una ㄹ, haciendo un **sonido de L doble** *(o '-ll')**. Esto siempre ocurre sin importar el orden en el que aparezcan:

잘난 → 잘란

2 Cuando dos letras ㄹ se encuentran entre sílabas, siempre las pronunciamos como **un solo sonido de L.**

Podemos ver un ejemplo de asimilación en español en la palabra *'envidia'*. Si la decimos en alto en una oración como *'tener envidia de los demás no es bueno'*, podemos notar que en el habla informal no solemos articular cada letra, por lo tanto la pronunciación de esta palabra se asemeja más a **'embidia'** que a **'envidia'**.

En este caso, el sonido que sufre el proceso de asimilación es la *'n-'* de *'envidia'*, que suena más parecido a una *'m-'* para facilitar la pronunciación al ir seguido de una *'v-'*. Los sonidos *'m-'* y *'v-'* se pronuncian de manera normal, con la *'m'* de *'mamá'* y la *'v'* de *'vida'* – la fusión de los sonidos hace que la pronunciación sea más fácil cuando hablamos a un ritmo más acelerado.

*Hay excepciones, però están fuera del alcance de un libro para principiantes como este. Por ejemplo, cuando añadimos un carácter a una palabra que ya existe y ㄴ+ㄹ se convierte en ㄴ+ㄴ.

RESILABIFICACIÓN

La **Resilabificación** es una forma de asimilación que ocurre de manera habitual en coreano, cambiando la manera en la que suenan las palabras escritas cuando ciertas letras entran en contacto e interactúan. Estas reglas se aplican en líneas generales, sin embargo, cabe señalar una excepción:

1 Cuando las sílabas con 받침 van seguidas de una sílaba que empieza por un sonido vocálico, **arrastramos el sonido de la consonante final** hasta la siguiente sílaba.

Excepciones: las sílabas que terminen en ㅇ *(ng)* no cambian ni se arrastra el sonido. Si una sílaba termina con la letra ㅎ, la '-*h*' se debilita o prácticamente se pierde. *

Recuerda que los bloques silábicos que empiezan por vocal tienen una ㅇ delante, pero el efecto general es que se reemplaza la ㅇ. En primer lugar, examinaremos la palabra coreana para 'música':

Puede que no hayas pensado mucho en esto hasta ahora, pero en español también usamos la resilabificación cuando hablamos. Di en alto *'un amigo'*, ¿separas las dos palabras, 'un' y 'amigo'? Es muy probable que lo hayas pronunciado más parecido a 'una-migo'. *¡Este es exactamente el concepto del que hablamos!*

---

* Puede que perdamos el sonido entre sílabas, pero si la letra se encuentra con ciertas consonantes, puede que aún tenga un efecto en la manera en la que pronunciamos las siguientes consonantes, reforzándolas o aspirándolas - ¡veremos esto un poco más adelante!

Las 겹받침 siguen algunas de sus propias reglas. No todo lo que estamos viendo será relevante para los principiantes en seguida, y las reglas más complejas se entenderán con el tiempo. Es importante que al menos las tengas en cuenta por ahora.

En general, solo se debería escuchar una de las dos letras de las 겹받침 cuando se pronuncien las sílabas. Normalmente es **la primera** de las dos consonantes y se aplica sobre todo cuando vemos la sílaba aislada. Aquí tienes las otras reglas básicas:

2 Cuando las dobles 받침 van seguidas de sílabas que empiezan por vocal, **ambas** consonantes se pronuncian – la letra doble se separa y arrastramos el sonido de la 2ª consonante efectivamente, reemplazando la letra ㅇ.

Ortografía   Pronunciación

읽어 → 일거

SIGNIFICADO: *leer*

값을 → 갑슬

SIGNIFICADO: *precio, coste*

삶에 → 살메

SIGNIFICADO: *vida, vivir*

3 Cuando las 겹받침 van seguidas de una sílaba que empieza por consonante, o es la última sílaba de una palabra, entonces pronunciamos **solo una de las dos** consonantes.

Con ㄻ, ㄿ, y ㄺ, *normalmente* decimos la segunda consonante – con todas las demás consonantes dobles finales pronunciamos el sonido de la primera de las dos letras pequeñas.

Excepciones: Si ㄺ va seguida de ㄱ como consonante inicial, pronunciamos el sonido ㄹ en cambio.

넋 → 넉 | 값 → 갑 | 삶 → 삼

Recuerda, estas reglas solo se aplican a la pronunciación de las sílabas y las palabras. La ortografía nunca cambia – solo la manera en la que decimos ciertas combinaciones de letras en ciertas posiciones.

NASALIZACIÓN

Otra regla de asimilación que gobierna específicamente a las combinaciones de letras pronunciadas con un sonido nasal. Cualquier consonante que vaya seguida de letras con sonidos nasales, ㄴ y ㅁ *(los sonidos '-n' y '-m')*, se vuelven sonidos más nasales también.

Hemos creado una tabla *(puedes observarla justo debajo de este párrafo)* que resume varios cambios de sonido para que puedas usarla como referencia. Se muestran algunos ejemplos para ayudarte a identificar los cambios de sonido, pero la práctica es la clave:

Consonante final escrita	Seguida de la letra:	Sonido asimilado, de batchim a nasal	Cambio de pronunciación con una palabra de ejemplo
ㄱ ㅋ ㄲ	+ ㄴ	ㄱ → ㅇ	죽는 → 중는
ㄱ	+ ㅁ	ㄱ → ㅇ	국물 → 궁물
ㅂ ㅍ	+ ㄴ	ㅂ → ㅁ	밥맛 → 밤맛
ㅂ ㅍ	+ ㅁ	ㅂ → ㅁ	앞문 → 암문
ㄷ ㅌ ㅈ ㅊ ㅅ ㅆ ㅎ	+ ㄴ + ㅁ	ㄷ → ㄴ	몇년 → 면년 있는 → 민는 듣는 → 든는

También ocurre con naturalidad en las palabras españolas. Es fácil olvidar reglas como estas cuando aprendemos un nuevo idioma, y acabamos pronunciando las sílabas con la fonética exacta para cada letra. Sin aplicar las reglas previas, la pronunciación coreana que desarrolles podría ser extraña y muy lejana de ser nativa - *¡así que definitivamente merece la pena memorizarlas adecuadamente!*

PALATALIZACIÓN

Es un fenómeno lingüístico mediante el cual se crea un sonido completamente nuevo cuando pronunciamos ciertas combinaciones de letras. Es otro cambio de sonido que puede ser difícil de explicar, y también es relativamente poco común en las conversaciones y discursos coreanos diarios.

Los cambios de sonido como este suelen tener lugar con naturalidad cuando intentamos articular adecuadamente los sonidos correctos individuales en una sucesión rápida - *¡puedes encontrarte este fenómeno en tu coreano de todas formas, aunque no lo hagas a propósito!*

1 ㄷ+이 → 지

Cuando la consonante final ㄷ se encuentra con 이, se convierte en un sonido ㅈ. El marcador silencioso de la vocal se reemplaza, haciendo un sonido de 지.

굳이 → 구지

해돋이 → 해도지

2 ㅌ+이 → 치

Si la consonante final ㅌ se encuentra con 이, cambia a un sonido ㅊ. Efectivamente, el ㅇ se reemplaza de nuevo para crear un sonido de 치.

같이 → 가치

밭이 → 바치

3 ㄷ+히 → 치

Otro sonido de 치 se crea cuando ㄷ se encuentra con 히, con la excepción de que esta vez es la consonante ㅎ la que desaparece para crear el sonido nuevo.

묻히 → 무치

닫히다 → 다치다

CAMBIOS DE SONIDO CON ㅎ

La letra ㅎ se debilita y a menudo es inaudible *(especialmente para los hablantes no nativos)* cuando está situada entre vocales o va después de consonantes sonoras más nasales como ㄴ, ㄹ, ㅁ, y ㅇ. Por esta razón, se le describe *incorrectamente* como una letra 'muda' – sí que parece que desaparece cuando escuchamos a los coreanos hablar, pero si se ralentiza la pronunciación, se puede escuchar – simplemente es muy débil.

$$좋아요 → 조아요 \qquad 공부하다 → 공부아다$$

(significa – estar bien, ser bueno)   *(significa – estudiar)*

Avanzado: como la forma verbal más usada, verás con mucha frecuencia palabras con 하다.
No es muy común escuchar esto tal y como se lee, sino que suena más como 아다.

ASPIRACIÓN

Cuando las consonantes ㄱ, ㄷ, ㅂ, y ㅈ se encuentran con la letra ㅎ, en posición anterior o posterior, asumen sus sonidos aspirados y más fuertes *(ㅋ, ㅌ, ㅍ, y ㅊ respectivamente)*. Se requiere un golpe de aire adicional para pronunciar las consonantes aspiradas y cuando se combinan con ㅎ *(una consonante aspirada ya de por sí)*, proporcionamos la fuerza adicional necesaria para producir ese sonido:

❶

ㅎ + ㄱ → ㅋ
ㅎ + ㄷ → ㅌ
ㅎ + ㅂ → ㅍ
ㅎ + ㅈ → ㅊ

❷

ㄱ + ㅎ → ㅋ
ㄷ + ㅎ → ㅌ
ㅂ + ㅎ → ㅍ
ㅈ + ㅎ → ㅊ

Ejemplos:

좋고	→	조코
닿다	→	다타
좋지	→	조치
어떻게	→	어떠케
국화	→	구콰
집회	→	지푀
맞히다	→	마치다

'INTENSIFICACIÓN' Y 'REFUERZO'

Cuando las consonantes se escriben junto a otras, a veces pueden interactuar y causar cambios que hacen que la pronunciación general sea más sencilla. Este conjunto de reglas hace referencia a varios cambios fonéticos con mucha consistencia y con muchas excepciones. ¡Esto no solo lo hace difícil de describir complemente, sino que, como puedes imaginar, también lo hace increíblemente difícil de entender cuando estás aprendiendo coreano!

Lo que lo hace más complicado es que la mayoría de los coreanos nativos no aprenden a hablar usando reglas como esta – sino que ellos simplemente las asimilan de una manera más natural. *¿Sigues teniendo confusión?*

En términos básicos, cuando una sílaba termina con ciertas consonantes, y la sílaba que le sigue empieza con ㄱ,ㄷ,ㅂ,ㅅ, or ㅈ, sus sonidos doblan su fuerza = ㄲ,ㄸ,ㅃ,ㅆ,ㅉ.

식당 › 식땅 | 학교 › 학꾜 | 돋보기 › 돋뽀기
comedor | *escuela* | *lupa*

Para reducir los sonidos 받침 (como la ㅂ) al final de una palabra o en alguna sílaba aislada, contenemos la liberación de aire que normalmente sigue a este tipo de letras. A diferencia de lo que ocurre en español, ㅂ (cuya letra correspondiente más parecida en español es 'b' o 'p') tiene un sonido aspirado. Sin embargo, debido a esta reducción de liberación de aire, ㅂ no se pronuncia aspirada, sino que suena más parecida a como pronunciamos la 'b' en español.

Cuando nos encontramos con una de estas consonantes reforzadas, la fuerza acumulada como resultado de contener la aspiración en las 받침 podemos usarla para intensificar el sonido de la siguiente letra. Se convierte en una versión más corta y de un tono más alto con una liberación de aire más explosiva.

Nota: la ㅎ como consonante final solo intensifica una ㅅ inicial, haciendo que se convierta en un sonido ㅆ al principio.

좋습니다 → 조씁니다   SIGNIFICADO: *bueno*
Ortografía   *Pronunciación*

EXCEPCIONES COMUNES

Casi todas las excepciones de las reglas se aprenden simplemente leyendo, escribiendo y hablando más coreano. Hay demasiadas como para señalarlas todas, pero aquí te mostramos algunas excepciones comunes:

1 Las excepciones de asimilación se hacen cuando ㅁ o ㅇ en posición 받침 se encuentran con una ㄹ en posición inicial. En ambos casos, ㄹ se reemplaza por un sonido ㄴ.

ㅁ o ㅇ + ㄹ   음력 → 음녁   *calendario lunar*

Excepciones menos comunes con consonantes que actúan de manera extraña delante de la letra ㄹ incluyen, por ejemplo: las letras ㄱ, ㄷ o ㅂ (+ㄹ) se convierten en ㅇ, ㄴ, y ㅁ (+ㄴ) respectivamente.

2 ㅎ se pronuncia como una ㄷ en posición *final*, pero cuando se encuentran con la letra ㄴ como consonante inicial, la pronunciamos como otra ㄴ:

ㅎ + ㄴ = ㄴ + ㄴ   닿는 → 단는   *tocar, alcanzar*

3 La letra ㅅ se pronuncia como una ㄷ en posición final, pero la ㄷ se pronuncia como una ㅌ cuando va seguida de ㅎ. Por lo tanto, cuando la letra ㅅ va seguida de ㅎ, sufre dos cambios de sonido a la vez y se pronuncia como una ㅌ:

ㅅ + ㅎ = ㅌ   못하다 > 모타다   *unable to, can't*

4 La letra ㅅ tiene un sonido 'sh-' cuando va seguida de las vocales 이 여 야 요 y 유, pero suena como una 's-' cuando va seguida de las vocales 아 어 우 오 으 애 o 에:

ㅅ = 's-' o 'sh-'   샴푸 *champú* [syam-pu]   사서 *bibliotecario/a* [sa-seo]

SIMPLIFICACIÓN

La pronunciación de las letras batchim puede simplificarse a uno de los siete sonidos básicos, como se puede observar en la siguiente tabla:

'-k' suena como la 'c' de 'saco', pero en vez de liberar el aire al final del sonido, enciérralo en la garganta.

'-n' suena como la 'n' de 'jamón'

'-t' suena como la 't' de 'tener', pero sin la pequeña liberación de aire que sigue a la última consonante

'l-' suena como la 'l' de 'luna', pero con tu lengua tocando el cielo de la boca en vez de los dientes.

'-m' suena como la 'm' de 'album'

'-p' suena como la 'p' de 'papá'

'-ng' suena como la 'n' de 'angel'

= gyeobbatchim
(consonante doble final)

= consonante doble
(letra normal)

= ambas

** Estas letras nunca se usan en posición final como batchim (consonantes finales).

ㄴ 'INTRUSA'

A veces, en coreano, podemos escuchar un sonido de ㄴ inesperado, y no es más que otro ejemplo de cambio fonético en el que se alteran ciertos sonidos para facilitar la pronunciación. Sin hacer una comparación directa con la lengua española, vamos a ver un ejemplo usando el Hangul. Es una regla interesante de aprender, pero no es algo que debería preocuparles a los principiantes. Se entenderá perfectamente bien la pronunciación de palabras, aunque no se aplique este fenómeno de 'ㄴ intrusa'.

Es una regla interesante que merece la pena ver y entender, aunque los principiantes no necesiten aprenderla. En circunstancias especiales, el sonido ㄴ puede aparecer y facilitar las pronunciaciones no cubiertas por otras reglas – en particular, como veremos a continuación, se añade cuando se dicen algunas palabras compuestas – dos palabras unidas para crear una nueva.

꽃잎 → 꼰닙   SIGNIFICADO: *pétalo*

Este es un ejemplo fantástico de una palabra compuesta en la que usamos esta regla para pronunciarla – las dos palabras que la forman son *flor* 꽃 y *hoja* 잎.

La pronunciación de la ㄴ intrusa ocurre cuando ambos caracteres también son palabras con significado por sí solas – como en el ejemplo anterior. La primera palabra también debe terminar con una 받침 *(la letra* ㅊ *en este caso)*, y la segunda palabra debe empezar con una de estas vocales en concreto: ㅣ ㅑ ㅕ ㅛ o ㅠ.

Podemos observar que la versión escrita correctamente *(a la izquierda)* se ve muy diferente de la versión pronunciada *(transcrita a la derecha)*. Hay una serie de reglas de cambio de sonido trabajando al mismo tiempo en este ejemplo – aquí te mostramos un pequeño desglose:

꽃잎 → 꽃닙 → 꼰닙 → 꼰닙

| Ortografía | Regla + ㄴ | Nasalización | Simplificación |

Nota: Si la consonante final es la letra ㄹ, pronunciamos esta ㄴ adicional como una ㄹ.

Como extranjero, se te entenderá perfectamente bien si se te olvida usar una regla como esta al hablar, así que, como principiante, no deberías preocuparte demasiado por la ㄴ intrusa. *¡Es de un nivel bastante más avanzado!*

Parte 7

PALABRAS Y VOCABULARIO ÚTILES PARA PRINCIPIANTES

NÚMEROS

Hay **dos sistemas numéricos** en coreano y ambos se usan con regularidad en la vida cotidiana - *¡así que tenemos que aprender los dos!* El primer sistema se llama **sinocoreano** y el segundo recibe el nombre de 'coreano *puro*' o '**coreano nativo**'. Los dos sistemas tienen usos diferentes, dependiendo de la situación, e incluso se combinan en algunos contextos.

Sinocoreano es un término que describe elementos de la lengua coreana que o están influenciados por o se originaron en China. Casi dos tercios del vocabulario coreano se consideran sinocoreano y se puede escribir con Hangul o con un alfabeto diferente llamado *Hanja (caracteres chinos)*.

Los sistemas numéricos coreanos pueden sonar bastante complejos, pero ambos funcionan con la lógica común y solo un grupo relativamente pequeño de palabras son necesarias para crear todos los números que necesitamos.

#	Coreano 'Nativo'		Sinocoreano	
0	영*	[yeong]	공*	[gong]
1	하나	[ha-na]	일	[il]
2	둘	[dul]	이	[i]
3	셋	[set]	삼	[sam]
4	넷	[net]	사	[sa]
5	다섯	[da-seot]	오	[o]
6	여섯	[yeo seot]	육	[yuk]
7	일곱	[il-gop]	칠	[chil]
8	여덟	[yeo-deol]	팔	[pal]
9	아홉	[a-hop]	구	[gu]
10	열	[yeol]	십	[sip]

Cómo se usa cada sistema en general:

Sinocoreano

> Hora *(solo los minutos)* > Dinero
> Direcciones > Fechas
> Números de teléfono > Medidas
> Deportes / Puntuación > *¡y todo lo demás!*

Coreano 'Nativo'

> Hora *(solo las horas)* > Secuencias
> Contar Personas > Edad
> Contar Objetos

Notas:

Los números *coreanos nativos* terminan en el 99, así que del 100 en adelante se usan los números sinocoreanos.

Los números nativos coreanos también pueden tener formas ligeramente diferentes como adjetivos, pero las palabras que se muestran aquí son perfectamente adecuadas para casi cualquier contexto.

Ambas versiones del número cero son Hanja, derivan del chino – tendemos a usar 공 para los números Sinocoreanos.

¡Los números **sinocoreanos** son muy fáciles de aprender! Una vez que hayas memorizado los números del 1 al 10, creamos los números más grandes simplemente combinando los primeros con las palabras para formar números redondos más altos como 10, 100, 1000, etc. No hay palabras compuestas entre el 19 y el 100, como 'veinte' o 'treinta', diríamos 'dos-diez' o 'tres-diez' en cambio. De hecho, los dígitos individuales delante de números grandes se multiplican, y los que le siguen se añaden:

2	이	*dos*
12	십이	*diez -- dos*
20	이십	*dos ---------- diez*
22	이십이	*dos -- diez -- dos*
200	이백	*dos -- cien*
202	이백이	*dos -- cien ---------------- dos*
212	이백십이	*dos -- cien -------- diez -- dos*
220	이백이십	*dos -- cien -- dos -- diez*
222	이백이십이	*dos -- cien -- dos -- diez -- dos*

10	>	십
100	>	백
1,000	>	천
10,000	>	만
100,000	>	십만
1,000,000	>	백만
10,000,000	>	천만

los números altos también se multiplican sobre 10,000

Los números redondos altos del 100 en adelante se pueden expresar de dos maneras cuando van escritos solos – puede aparecer como 일백 *'centenar'* o simplemente 백 *'cien'*, que es la forma más comúnmente usada. Lo mismo ocurre con 일천 *'millar'* y 천 *'mil'* – son intercambiables.

Los números **'coreanos nativos'** solo llegan hasta el 99 y funcionan ligeramente diferente.

Debemos aprender palabras diferentes para cada múltiplo de 10, además de los dígitos individuales. Ambas formas (los múltiplos de 10 y los números individuales) se juntan, como en los ejemplos que se muestran en la tabla de la derecha con el número 둘 (2):

10	열	*[yeol]*	12	열둘
20	스물	*[seu-mul]*	22	스물둘
30	서른	*[seo reun]*	32	서른둘
40	마흔	*[ma-heun]*	40	마흔둘
50	쉰	*[swin]*	52	쉰둘
60	예순	*[ye-sun]*	62	예순둘
70	일흔	*[il-heun]*	70	일흔둘
80	여든	*[yeo-deun]*	82	여든둘
90	아흔	*[a-heun]*	92	아흔둘

1	하	나							
2	둘								
3	셋								
4	넷								
5	다	섯							
6	여	섯							
7	일	곱							
8	여	덟							
9	아	홉							
10	열								
12	열	둘							
15	열	다	섯						
18	열	여	덟						
19	열	아	홉						

20	스	물									
30	서	른									
40	마	흔									
50	쉰										
60	예	순									
70	일	흔									
80	여	든									
90	아	흔									
24	스	물	넷								
57	쉰	일	곱								
61	예	순	하	나							
73	일	흔	셋								
86	여	든	여	섯							
92	아	흔	둘								

0	공								
1	일								
2	이								
3	삼								
4	사								
5	오								
6	육								
7	칠								
8	팔								
9	구								
10	십								
100	백								
1,000	천								
10,000	만								

11	공	일					
19	십	구					
23	이	십	삼				
77	칠	십	칠				
125	백	이	십	오			
199	백	구	십	구			
201	이	백	일				
358	삼	백	오	십	팔		
540	오	백	사	십			
999	구	백	구	십	구		
1001	천	일					
2054	이	천	오	십	사		
9,999	구	천	구	백	구	십	구

DÍAS Y MESES

Practica escribiendo los Días de la Semana debajo:

Los días de la semana tienen nombres *sinocoreanos*, representados por cinco elementos naturales *(de la cultura china)* y los dos cuerpos celestes *(el sol y la luna)*. Los meses también usan nombres sinocoreanos, aunque siguen el sistema numérico que acabamos de aprender.

El formato usado para escribir una fecha en coreano es muy familiar – si estuvieras escribiendo tu cumpleaños, se dispondría de esta manera: AAAA년 MM월 DD일 y el número para los años se puede reducir a dos dígitos. Si puedes aprender los números sinocoreanos y estas palabras para denotar años, días y meses, puedes escribir fácilmente cualquier fecha que quieras – por ejemplo, el Día del Alfabeto Coreano es el 9 de octubre, y en coreano se escribiría 10월 9일... o 시월 구일.

Notas: 일 significa *'día'* en el contexto en el que se emplea aquí, pero significa 'trabajo' cuando se usa dicha palabra sola. La segunda parte del nombre de cada día, 요일, se puede acortar a simplemente la primera sílaba.

Además, los símbolos que aparecen delante de cada nombre no se usan necesariamente como palabras en otros contextos para el mismo significado – *por ejemplo, 'sol' es* 태양, *no* 일.

LUNES 월 *LUNA*	월	요	일					
MARTES 화 *FUEGO*	화	요	일					
MIÉRCOLES 수 *AGUA*	수	요	일					
JUEVES 목 *MADERA*	목	요	일					
VIERNES 금 *ORO*	금	요	일					
SÁBADO 토 *TIERRA*	토	요	일					
DOMINGO 일 *DÍA / SOL*	일	요	일					

Los nombres de los meses son simplemente números sinocoreanos a los que se les añade la palabra 월 *(wol)*, que significa 'mes', por ejemplo, 1월 es *enero*, 2월 es *febrero*, etc. Hay dos excepciones *(marcadas con un *)* que tienen ligeras alteraciones para facilitar la pronunciación: *junio es* 유월 *no* 육월 *y octubre es* 시월 *no* 십월.

ENERO 1월	일	월						
FEBRERO 2월	이	월						
MARZO 3월	삼	월						
ABRIL 4월	사	월						
MAYO 5월	오	월						
JUNIO * 6월	유	월						
JULIO 7월	칠	월						
AGOSTO 8월	팔	월						
SEPTIEMBRE 9월	구	월						
OCTUBRE * 10월	시	월						
NOVIEMBRE 11월	십	일	월					
DICIEMBRE 12월	십	이	월					

COLORES

Después de memorizar el alfabeto y aprender los números y las fechas, el siguiente paso fácil y útil en cualquier lengua es, normalmente, aprender a escribir y decir los colores.

Las palabras que aparecen en las siguientes listas se pueden usar en general como sustantivos. Pronto te darás cuenta de que todos terminan con la sílaba 색 *(saek)* – una versión corta de 색깔 *(saekkkal)* – que es la palabra coreana para 'color'. Usamos la versión corta 색 cuando hablamos de un color específico, pero, en algunos casos en los que los colores se usan como adjetivos, esta sílaba se puede omitir si lo prefieres. *Dichos colores están marcados en la lista con un *.*

Practica escribiendo los colores debajo:

ROJO *	빨	간	색						
NARANJA	주	황	색						
AMARILLO *	노	란	색						
VERDE	초	록	색						
AZUL *	파	란	색						
MORADO	보	라	색						
ROSA	분	홍	색						
BLANCO *	하	얀	색						
NEGRO *	검	정	색						
GRIS	회	색							

DORADO	금	색								
PLATEADO	은	색								
BRONCE	청	동	색							
MARRÓN	갈	색								
AZUL MARINO	곤	색								
CELESTE	하	늘	색							
VERDE OSCURO	초	록								
VERDE CLARO	연	두	색							
TURQUESA	청	록	색							
MARRÓN CLARO, CANELA	황	갈	색							
COLOR JADE	비	취	색							
BEIGE	베	이	지	색						
COLOR MELOCOTÓN	복	숭	아	색						
ARCO IRIS	무	지	개	색						

LISTAS DE VOCABULARIO

Las siguientes páginas contienen una selección de listas de vocabulario básico organizadas por tema. Memorizar vocabulario es una tarea muy infravalorada por los estudiantes principiantes de coreano. Además de dominar el alfabeto Hangul, tener un amplio conocimiento sobre las palabras cotidianas contribuyen considerablemente a tu progreso hacia niveles más avanzados. Es importante recordar que es necesario tener un buen (y amplio) vocabulario cuando aprendes la gramática y empiezas a formar frases reales. Intenta copiar las palabras a listas nuevas, ya que tanto la repetición como la constancia personal ayudan mucho cuando se está memorizando vocabulario nuevo. *Hay páginas de práctica adicional con papel de cuadrículas al final del libro que puedes fotocopiar para uso personal.*

ALIMENTOS 음식 Y COMIDA 먹기

식사	*comida*	접시	*plato*
아침(식사)	*desayuno*	그릇	*cuenco*
점심(식사)	*almuerzo*	냄비	*olla*
저녁(식사)	*cena*	탁자	*mesa*
과자	*aperitivo*	음료수	*bebida*
고기	*carne*	물	*agua*
돼지고기	*cerdo*	콜라	*Coca-Cola*
소고기	*ternera*	맥주	*cerveza*
닭고기	*pollo*	사이다	*sidra*
해물	*mariscos*	켄	*lata*
재료	*ingredientes*	병	*botella*
김치	*kimchi*	우유	*leche*
반찬	*guarnición*	냉면	*fideos fríos*
식당	*restaurante*	밥	*arroz*
메뉴	*menú*	볶음밥	*arroz frito*
젓가락	*palillos*	만두	*dumpling*
칼	*cuchillo*	어묵	*pastel de pescado*
포크	*tenedor*	전	*tortita*
숟가락	*cuchara*		
도마	*tabla de cortar*		

FRUTAS 과일 Y VERDURAS 채소

사과	manzana	바나나	banana o plátano
오렌지	naranja	파파야	papaya
귤	mandarinas	마늘	ajo
승도보숭아	nectarina	양파	cebolla
포도	uvas	당근	zanahoria
배	pera	감자	patata
멜론	melón	고구마	boniato
수박	sandía	브로콜리	brócoli
레몬	limón	버섯	champiñón
라임	lima	양배추	repollo
딸기	fresa	완두공	guisantes
산딸기	frambuesa	옥수수	maíz
블루베리	arándano	부추	puerro
블랙베리	mora	순무	nabo
크랜베리	arándano	호박	calabaza
체리	cereza	토마토	tomate
복숭아	melocotón	상추	lechuga
살구	albaricoque	오이	pepino
자두	ciruela	피망	pimiento morrón
키위	kiwi	셀러리	apio
망고	mango	아보카도	aguacate
파인애플	piña	샐러드	ensalada
자몽	pomelo	올리브	aceituna
석류	granada	애호박	calabacín
코코넛	coco	껍질콩	judías verdes
피타야	fruta del dragón	무	rábano
두리안	durión	견과	nuez
대추	jujube	아몬드	almendra
금귤	kumquat o naranja china	땅콩	cacahuete

COMPRAS 쇼핑 Y ROPA 옷

식료품	tienda de alimentación	사다	comprar
가게	tienda	바지	pantalones
약국	farmacia	청바지	pantalones vaqueros
빵집	panadería	모자	sombrero
열림 / 닫힘	abierto / cerrado	반바지	pantalones cortos
슈퍼마켓	supermercado	치마	falda
쇼핑센터	centro comercial	양말	calcetines
백화점	grandes almacenes	신발	zapatos
(전통)시장	mercado (tradicional)	원피스	vestido
편의점	tienda de conveniencia	운동화	zapatillas de deporte
서점	librería	양복	traje
꽃집	floristería	안경	gafas
영업시간	horario de apertura	셔츠	camisa
돈	dinero	하이힐	tacones
현금	dinero en efectivo	티셔츠	camiseta
신용 카드	tarjeta de crédito	재킷	chaqueta
체크 카드	tarjeta de débito	드레스	vestido
할인	descuento	파자마	pijama
반값	mitad de precio	브라	sostén
싸다	barato	팬티	ropa interior
저렴하다	económico	코트	abrigo
가격표	etiqueta de precio	구두	zapatos de vestir
기념품	recuerdos		
보증서	garantía		
환불	cambio		
교환	reembolso		
영수증	recibo		
세금	impuestos		
쿠폰	cupón		

기온	*temperatura*	맑다	*despejado*
여름	*verano*	쌀쌀하다	*frío*
겨울	*invierno*	영하	*bajo cero*
가을	*otoño*	영상	*sobre cero*
봄	*primavera*	기후	*clima*
하늘	*cielo*	국내 여행	*viaje local*
구름	*nubes*	해외 여행	*viaje al extranjero*
이슬비	*llovizna*	비행기	*avión*
눈바람	*ventisca*	공항	*aeropuerto*
비	*lluvia*	해외	*país extranjero*
눈	*nieve*	버스	*autobús*
번개	*relámpago*	버스 정류장	*parada de autobús*
천둥	*trueno*	역	*estación*
소나기	*chubasco*	버스 정류장	*estación de autobuses*
태풍	*tifón*	여권	*pasaporte*
우산	*paraguas*	지하철	*metro*
비옷	*chubasquero*	택시	*taxi*
장마	*temporada de lluvias*	입장시간	*hora de apertura*
해	*sol*	마감시간	*hora de cierre*
가뭄	*sequía*	숙소	*alojamiento*
자외선	*rayos UV*	짐	*equipaje*
해변	*playa*	지도	*mapa*
바다	*océano*	관광 가이드	*guía turístico*
에어컨	*aire acondicionado*	표	*ticket, billete*
공기	*aire*	다리	*puente*
바람	*viento*	바다	*mar*
폭염	*ola de calor*	등대	*faro*
건조하다	*seco*	해변	*playa*
습하다	*húmedo*	산	*montaña*

아파트	apartamento	티비	TV
방	habitación	텔레비전	televisor
바닥	suelo	소파	sofá
천장	techo	의자	silla
일층	primera planta	탁자	mesa
지하실	sótano	식탁	mesa del comedor
다락방	ático	책장	estantería
계단	escaleras	라디오	radio
정원	jardín	그림	foto
창문	ventana	페인팅	cuadro
식물	planta	침실	dormitorio
화분	maceta	침대	cama
주방 / 부엌	cocina	베개	almohada
싱크대	fregadero	자명종	alarma
세탁기	lavadora	옷장	ropero
마이크로웨이브	microondas	깔개	alfombra
냉장고	frigorífico	램프	lámpara
냉동고	congelador	전구	bombilla
난로	hornillo	거울	espejo
식기세척기	lavavajillas	포스터	póster
오븐	horno	책상	escritorio
주전자	tetera, hervidor	컴퓨터	ordenador
토스터	tostadora	화장실	baño
컵	taza	변기	aseo
벽장	armario	샤워	ducha
후라이팬	sartén	욕조	bañera
냄비	olla	싱크	lavabo
거실	sala de estar	약상자	botiquín
가구	muebles		

머리	cabeza	가슴	pecho
이마	frente	등	espalda
눈	ojo	허리	cintura
귀	oreja	배꼽	ombligo
귓불	lóbulo	다리	pierna
코	nariz	허벅지	muslo
입	boca	무릎	rodilla
입술	labios	종아리	pantorrilla
혀	lengua	발	pie
볼/뺨	mejilla	발목	tobillo
이/치아	diente/dientes	발톱	uña del pie
턱	barbilla	발꿈치	talón
목	cuello	발바닥	planta del pie
목구멍	garganta	발가락	dedo del pie
어깨	hombro	근육	músculo
쇄골	clavícula	뼈	hueso
팔	brazo	심장	corazón
팔목	muñeca	피 / 혈액	sangre
팔꿈치	codo	위	estómago
손	mano	머리카락	pelo
손바닥	palma de la mano	수염	vello facial
주먹	puño	콧수염	bigote
손가락	dedo	눈썹	ceja
엄지손가락	pulgar	얼굴	rostro
집게손가락	dedo índice	피부	piel
약지	dedo anular	점	grano
손톱	uña	보조개	hoyuelo
중지	dedo corazón	여드름	espinilla
새끼 손가락	meñique	주근깨	peca

메시지	mensaje	로그인	acceso
지도	mapa	비밀번호	contraseña
카메라	cámara	선택	seleccionar
사진	foto	복사	copiar
갤러리	galería	붙여넣기	pegar
시계	reloj	이동	mover
미리알림	recordatorio	지르기	recortar
캘린더	calendario	이름 변경	cambiar el nombre
주소록	contactos	계속	continuar
계산기	calculadora	취소	cancelar
음악	música	입력	entrada
소리	sonido	수신함	buzón de entrada
방해금지 모드	no molestar	오전	am
제어 센터	modo	오후	pm
에어플레인	menú	좋아하다	gustar
모드	modo avión	팔로워	seguidores
알림	notificación	페이지	página
(홈)화면	pantalla de inicio	활동	actividad
잠그화면	pantalla de bloqueo	새 포스트	publicación nueva
설정	ajustes	리블로그하다	volver a publicar
와이파이	Wi-Fi	임시 저장	borradores
개인용 핫스팟	zona con cobertura	답하기	respuesta
이동통신사	red móvil	위치	ubicación
셀룰러	celular	익명으로	anónimo
모바일 데이터	datos móviles	배터리 전원 부족	batería baja
전원 끄기	apagar		
번역	traductor		
앱	aplicación		
메모리	memoria		

PROFESIONES 직업

직장	lugar de trabajo	바텐더	camarero/a
경력	profesión	전기기사	electricista
이력서	CV, Curriculum Vitae	경찰	official de policía
면접	entrevista de trabajo	소방관	bombero
고용주	jefe	배관공	fontanero
연봉	sueldo anual	어부	pescador
월급	sueldo mensual	정육점	carnicero/a
동료	compañero de trabajo	목수	carpintero/a
회의	reunión	건축가	arquitecto/a
출장	viaje de negocios	조종사	piloto
퇴직자	jubilado/a	약사	farmacéutico/a
선생님	maestro/a	점원	empleado/a de tienda
교수님	profesor/a	정원사	jardinero/a
연구원	investigador/a	수의사	veterinario/a
학생	estudiante	미용사	peluquero/a
간호사	enfermero/a	운동선수	atleta
치과의사	dentista	노동자	trabajador/a
의사	doctor/a	수리 기사	técnico de reparación
군인	soldado	사진사	fotógrafo/a
요리사	cocinero/a, chef	프로그래머	programador/a
변호사	abogado/a	가수	cantante
비사	secretario/a	배우	actor
은행가	banquero/a	사무원	oficinista
작가	escritor/a, autor/a	농장주/농부	granjero/a
기자	periodista	택시기사	taxista
엔지니어	ingeniero/a	기술자	técnico
과학자	científico/a	보모	niñera
디자이너	diseñador/a	예술가	artista
정비사	mecánico/a	회계사	contable

ANIMALES 동물 E INSECTOS 벌레

애완동물	mascota	오리	pato
개	perro	비둘기	paloma
강아지	cachorro	거위	ganso
고양이	gato	독수리	águila
새	pájaro	뱀	serpiente
물고기	pez	북극곰	oso polar
코끼리	elefante	캥거루	canguro
사자	león	돌고래	delfín
호랑이	tigre	상어	tiburón
곰	oso	오징어	calamar
기린	jirafa	문어	pulpo
얼룩말	cebra	게	cangrejo
고릴라	gorila	장어	anguila
원숭이	mono	나비	mariposa
판다	oso panda	다람쥐	ardilla
하마	hipopótamo	오소리	tejón
코뿔소	rinoceronte	토끼	conejo
고래	ballena	햄스터	hámster
거북이	tortuga	기니피그	cobaya
악어	cocodrilo	개구리	rana
거미	araña	늑대	lobo
벌	abeja	사슴	ciervo
개미	hormiga	여우	zorro
소	vaca	칠면조	pavo
염소	cabra	도마뱀	lagarto
양	oveja	표범	leopardo
말	caballo	치타	guepardo
돼지	cerdo	펭귄	pingüino
앵무새	loro	침팬지	chimpancé

FAMILIA 가족

가족	familia
아이들	hijos
아들	hijo
딸	hija
아이	niño/a
부모(님)	padres
어머니	madre (formal)
어머님	madre (con honorífico)
엄마	mamá (informal)
아버지	padre (formal)
아버님	padre (con honorífico)
아빠	papá (informal)
조부모(님)	abuelos
할아버지	abuelo
할아버님	abuelo (con honorífico)
할머니	abuela
할머님	abuela (con honorífico)
배우자	cónyuge
남편	esposo
아내	esposa
형제자매	hermanos (en general)
형제	hermanos
자매	hermanas
누나	hermana mayor (para los hombres)
형	hermano mayor (para los hombres)
언니	hermana mayor (para las mujeres)
오빠	hermano mayor (para las mujeres)
여동생	hermana menor
남동생	hermano menor

AFICIONES 취미

여행	viajar
외국어	lengua extranjera
요리	cocinar
독서	leer
운동	hacer ejercicio
독서	leer libros
영화 감상	ver películas
비디오 게임	videojuegos
스포츠	deportes
축구	fútbol
야구	béisbol
농구	baloncesto
수영	natación
조깅	jogging
테니스	tenis
골프	golf
스키	esquí
미식축구	fútbol
배구	voleibol
태권도	taekwondo
등산	senderismo
달리기	correr
춤	bailar
가요	K-pop
미술	arte visual
낮잠	siesta
휴가	vacaciones
문화	cultura
수다	conversar

1

사	
구	
이	
칠	

2

8	
3	
5	
1	

3

이십삼	
육십구	
십육	
삼십팔	

4 Aproximadamente, ¿cuánto vocabulario coreano tiene orígenes chinos?

A. **all**   B. **1/3**

C. **2/3**   D. **half**   _ _ _ _ _

5 ¿Cuál es la palabra coreana para 'lunes', el día que fue nombrado por la luna?

A. **화요일**   B. **목요일**

C. **일요일**   D. **월요일**   _ _ _ _ _

6 ¿Cómo se dice en coreano el nombre del decimoprimer mes, noviembre?

A. **십일월**   B. **삼이월**

C. **십이월**   D. **삼일월**   _ _ _ _ _

7 ¿Qué color se escribe **파란색** en coreano?

A. **blue**   B. **white**

C. **black**   D. **yellow**

E. **green**   F. **red**   _ _ _ _ _

8

사백십육	
팔백십이	
삼백이십일	

9

540	
199	
704	

(Mira las Respuestas en la Página 128)

Parte 8

TABLAS DE REFERENCIA Y RESPUESTAS

		ㅏ a	ㅑ ya	ㅓ eo	ㅕ yeo	ㅗ o	ㅛ yo	ㅜ u	ㅠ yu	ㅡ eu	ㅣ i
ㄱ	g	가 ga	갸 gya	거 geo	겨 gyeo	고 go	교 gyo	구 gu	규 gyu	그 geu	기 gi
ㅋ	k	카 ka	캬 kya	커 keo	켜 kyeo	코 ko	쿄 kyo	쿠 ku	큐 kyu	크 keu	키 ki
ㄴ	n	나 na	냐 nya	너 neo	녀 nyeo	노 no	뇨 nyo	누 nu	뉴 nyu	느 neu	니 ni
ㄷ	d	다 da	댜 dya	더 deo	뎌 dyeo	도 do	됴 dyo	두 du	듀 dyu	드 deu	디 di
ㅌ	t	타 ta	탸 tya	터 teo	텨 tyeo	토 to	툐 tyo	투 tu	튜 tyu	트 teu	티 ti
ㄹ	r/l	라 ra	랴 rya	러 reo	려 ryeo	로 ro	료 ryo	루 ru	류 ryu	르 reu	리 ri
ㅁ	m	마 ma	먀 mya	머 meo	며 myeo	모 mo	묘 myo	무 mu	뮤 myu	므 meu	미 mi
ㅂ	b	바 ba	뱌 bya	버 beo	벼 byeo	보 bo	뵤 byo	부 bu	뷰 byu	브 beu	비 bi
ㅍ	p	파 pa	퍄 pya	퍼 peo	펴 pyeo	포 po	표 pyo	푸 pu	퓨 pyu	프 peu	피 pi
ㅅ	s	사 sa	샤 sya	서 seo	셔 syeo	소 so	쇼 syo	수 su	슈 syu	스 seu	시 si
ㅈ	j	자 ja	쟈 jya	저 jeo	져 jyeo	조 jo	죠 jyo	주 ju	쥬 jyu	즈 jeu	지 ji
ㅊ	ch	차 cha	챠 chya	처 cheo	쳐 chyeo	초 cho	쵸 chyo	추 chu	츄 chyu	츠 cheu	치 chi
ㅇ	ng -	아 a	야 ya	어 eo	여 yeo	오 o	요 yo	우 u	유 yu	으 eu	이 i
ㅎ	h	하 ha	햐 hya	허 heo	혀 hyeo	호 ho	효 hyo	후 hu	휴 hyu	흐 heu	히 hi

		ㅐ ae	ㅒ yae	ㅔ e	ㅖ ye	ㅚ oe	ㅘ wa	ㅙ wae	ㅟ wi	ㅝ wo	ㅞ we	ㅢ ui
ㄱ	g	개 gae	걔 gyae	게 ge	계 gye	괴 goe	과 gwa	괘 gwae	귀 gwi	궈 gwo	궤 gwe	긔 gui
ㅋ	k	캐 kae	컈 kyae	케 ke	켸 kye	쾨 koe	콰 kaw	쾌 kwae	퀴 kwi	쿼 kwo	퀘 kwe	킈 kui
ㄴ	n	내 nae	냬 nyae	네 ne	녜 nye	뇌 noe	놔 nwa	놰 nwae	뉘 nwi	눠 nwo	눼 nwe	늬 nui
ㄷ	d	대 dae	댸 dyae	데 de	뎨 dye	되 doe	돠 dwa	돼 dwae	뒤 dwi	둬 dwo	뒈 dwe	듸 dui
ㅌ	t	태 tae	턔 tyae	테 te	톄 tye	퇴 toe	톼 twa	퇘 twae	튀 twi	퉈 two	퉤 twe	틔 tui
ㄹ	r/l	래 rae	럐 ryae	레 re	례 rye	뢰 roe	롸 rwa	뢔 rwae	뤼 rwi	뤄 rwo	뤠 rwe	릐 rui
ㅁ	m	매 mae	먜 myae	메 me	몌 mye	뫼 moe	뫄 mwa	뫠 mwae	뮈 mwi	뭐 mwo	뭬 mwe	믜 mui
ㅂ	b	배 bae	뱨 byae	베 be	볘 bye	뵈 boe	봐 bwa	봬 bwae	뷔 bwi	붜 bwo	붸 bwe	븨 bui
ㅍ	p	패 pae	퍠 pyae	페 pe	폐 pye	푀 poe	퐈 pwa	퐤 pwae	퓌 pwi	풔 pwo	풰 pwe	픠 pui
ㅅ	s	새 sae	섀 syae	세 se	셰 sye	쇠 soe	솨 swa	쇄 swae	쉬 swi	숴 swo	쉐 swe	싀 sui
ㅈ	j	재 jae	쟤 jyae	제 je	졔 jye	죄 joe	좌 jwa	좨 jwae	쥐 jwi	줘 jwo	줴 jwe	즤 jui
ㅊ	ch	채 chae	챼 chyae	체 che	쳬 chye	최 choe	촤 chwa	쵀 chwae	취 chwi	춰 chwo	췌 chwe	츼 chui
ㅇ	-ng	애 ae	얘 yae	에 eo	예 ye	외 oe	와 wa	왜 wae	위 wi	워 wo	웨 we	의 ui
ㅎ	h	해 hae	햬 hyae	헤 he	혜 hye	회 hoe	화 hwa	홰 hwae	휘 hwi	훠 hwo	훼 hwe	희 hui

	ㅐ ae	ㅒ yae	ㅔ e	ㅖ ye	ㅚ oe	ㅘ wa	ㅙ wae	ㅟ wi	ㅝ wo	ㅞ we	ㅢ ui
ㄲ gg	깨 ggae	깨 ggyae	께 gge	꼐 ggye	꾀 ggoe	꽈 ggwa	꽤 ggwae	뀌 ggi	꿔 ggwo	꿰 ggwe	끠 ggui
ㄸ dd	때 ddae	때 ddyae	떼 dde	떼 ddye	뙤 ddoe	똬 ddaw	뙈 ddwae	뛰 ddi	뚸 ddwo	뛔 ddwe	띄 ddui
ㅃ bb	빼 bbae	빼 bbyae	뻬 bbe	뻬 bbye	뾔 bboe	빠 bbwa	뽸 bbwae	쀠 bbi	뿨 bbwo	쀄 bbwe	삐 bbui
ㅆ ss	쌔 ssae	쌔 ssyae	쎄 sse	쎼 ssye	쐬 ssoe	쏴 sswa	쐐 sswae	쒸 ssi	쒀 sswo	쒜 sswe	씌 ssui
ㅉ jj	째 jjae	째 jjyae	쩨 jje	쪠 jjye	쬐 jjoe	좌 jjwa	쫴 jjwae	쮜 jji	쭤 jjwo	쮀 jjwe	쯰 jjui

No tenemos que memorizar todos los posibles caracteres – simplemente aprendiendo las letras Hangul básicas y cómo se escriben, puedes leer y escribir todas las posibles combinaciones.

Nota: en teoría, hay cientos y miles de posibles combinaciones silábicas, pero una gran mayoría de ellas apenas se usan en el coreano cotidiano. ¡De hecho, hay muchas que nunca se usan!

	ㅏ a	ㅑ ya	ㅓ eo	ㅕ yeo	ㅗ o	ㅛ yo	ㅜ u	ㅠ yu	ㅡ eu	ㅣ i
ㄲ gg	까 gga	꺄 ggya	꺼 ggeo	껴 ggyeo	꼬 ggo	꾜 ggyo	꾸 ggu	뀨 ggyu	끄 ggeu	끼 ggi
ㄸ dd	따 dda	땨 ddya	떠 ddeo	뗘 ddyeo	또 ddo	뚀 ddyo	뚜 ddu	뜌 ddyu	뜨 ddeu	띠 ddi
ㅃ bb	빠 bba	뺘 bbya	뻐 bbeo	뼈 bbyeo	뽀 bbo	뾰 bbyo	뿌 bbu	쀼 bbyu	쁘 bbeu	삐 bbi
ㅆ ss	싸 ssa	쌰 ssya	써 sseo	쎠 ssyeo	쏘 sso	쑈 ssyo	쑤 ssu	쓔 ssyu	쓰 sseu	씨 ssi
ㅉ jj	짜 jja	쨔 jjya	쩌 jjeo	쪄 jjyeo	쪼 jjo	쬬 jjyo	쭈 jju	쮸 jjyu	쯔 jjeu	찌 jji

ㄱ	아	ㄳ	갔	ㅍ	야	ㄿ	퍞	ㄱ	예	ㄻ	곔
ㅁ	요	ㄵ	묫	ㅂ	애	ㄼ	뱗	ㄲ	와	ㄼ	꽒
ㅂ	우	ㅀ	붛	ㄹ	와	ㄽ	롼	ㅁ	으	ㄲ	믂
ㄲ	이	ㄹ	낄	ㅈ	유	ㄾ	쥰	ㅋ	야	ㄽ	컁
ㅍ	애	ㄻ	퍰	ㅃ	야	ㄿ	뺲	ㅈ	애	ㄾ	쟽
ㅅ	에	ㄼ	셟	ㄴ	왜	ㄲ	놲	ㅃ	요	ㄿ	뾲
ㅈ	야	ㄽ	쟛	ㅎ	오	ㅀ	홓	ㅊ	아	ㅀ	찷
ㅃ	어	ㄾ	뻍	ㅂ	이	ㅄ	빖	ㅌ	유	ㄾ	튨
ㅊ	유	ㄿ	츒	ㅁ	위	ㄳ	뮀	ㅂ	왜	ㅄ	뱂
ㅌ	여	ㅀ	텷	ㄸ	아	ㄼ	땒	ㅍ	오	ㄵ	퐂
ㄹ	오	ㅄ	롮	ㅅ	우	ㄾ	숱	ㄹ	의	ㅀ	릟
ㄷ	애	ㄵ	댗	ㄴ	워	ㄵ	눴	ㄷ	이	ㄹ	딜
ㅋ	으	ㄻ	큶	ㅉ	왜	ㅀ	쫹	ㅋ	애	ㄻ	캠
ㅆ	우	ㄿ	숲	ㄷ	예	ㄹ	뎰	ㅎ	요	ㄳ	횻

ANSWERS

CUESTIONARIO A PÁGINA 48

1. **A** la 'llo' de llover
2. **B** 피
3. **D** ㅇ
4. **C** ㅈ
5. **C** 3
6. **B** 4
7. **C** ㅣ
8. **A** vc / **C** c̲v̲ / **F** c̲v̲c̲ / **G** cvc
9. **B** ㄷ
10. **D** la 'g' de gato

CUESTIONARIO B PÁGINA 78

1. **D** la 'lle' de llevar
2. **B** 11
3. **B** cc vv / **G** c v c v / **H** c v cc c
4. **C** 키위
5. **A** la 'güi' de pingüino
6. **A** 6
7. **B** ㅒ
8. **D** ㅃ
9. **C** Ordenador
10. 한글

CUESTIONARIO C PÁGINA 90

1. **B** Como la 'c' de casa
2. **C** 11
3. **D** 리
4. **B** 7
5. **C** Como la 'l' in cuál
6. **B** Como la 'c' de casa
7. **A** [말께]
8. **B** ㄱㅅ
9. **D** [갑슬]
10. **C** Como la 'l' in cuál

CUESTIONARIO D PÁGINA 122

1. 4 = 사
   9 = 구
   2 = 이
   7 = 칠
2. 8 = 팔
   3 = 삼
   5 = 오
   1 = 일
3. 23 = 이십삼
   69 = 육십구
   16 = 십육
   38 = 삼십팔
4. **C** 2/3
5. **D** 월요일
6. **A** 십일월
7. **A** azul
8. 416 = 사백십육
   812 = 팔백십이
   321 = 삼백이십일
9. 540 = 오백사십
   199 = 백구십구
   704 = 칠백사

Parte 9

PAPEL DE CUADRÍCULAS PARA MÁS PRÁCTICA

PÁGINAS DE PRÁCTICA

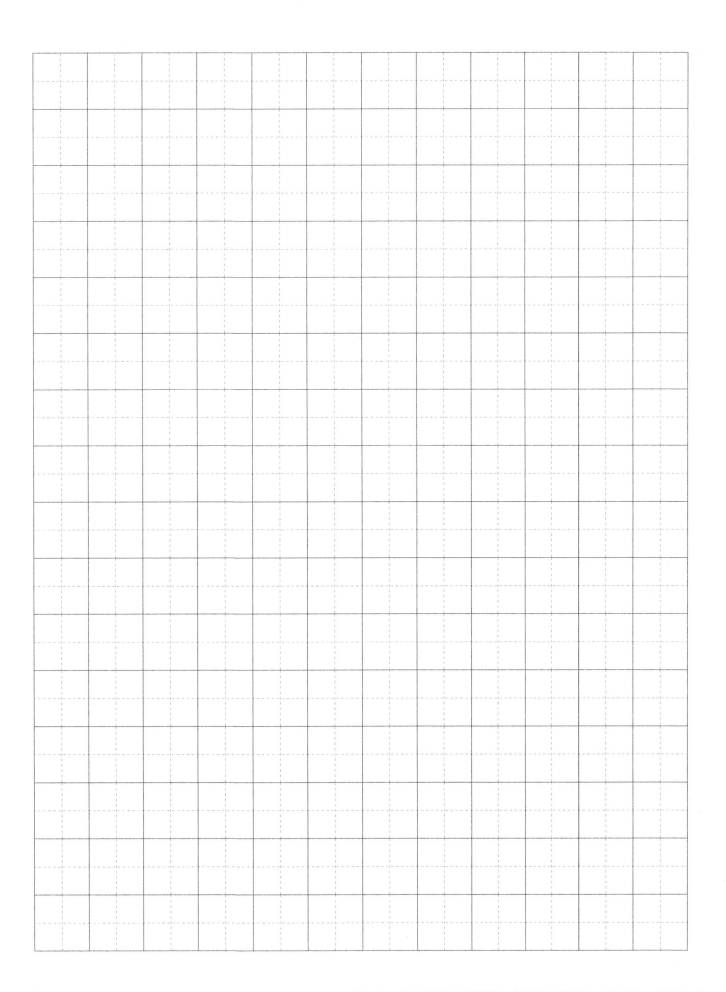

Parte 10

TARJETAS
DE ESTUDIO

PARA FOTOCOPIAR O
CORTAR Y GUARDAR

ㅈ	ㅂ	ㄷ
ㅅ	ㅁ	ㄴ
ㅇ	ㄹ	ㅋ
ㅍ	ㅌ	ㄱ

CHIEUT
치읓

INICIAL **ch** como la 'ch' de chiste
FINAL **t** como la 't' de pato

BIEUP
비읍

INICIAL **b** como la 'b' de bebé
FINAL **p** como la 'p' de lupa

DIGEUT
디귿

INICIAL **d** como la 'd' de dedo
FINAL **t** como la 't' de pato

JIEUT
지읒

INICIAL **j** como la 'ch' de ancho
FINAL **t** como la 't' de pato

MIEUM
미음

INICIAL **m** como la 'm' de mamá
FINAL **m** como la 'm' de álbum

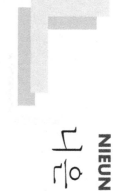
NIEUN
니은

INICIAL **n** como la 'n' de nube
FINAL **n** como la 'n' de algún

SIOT
시옷

INICIAL **s** como la 's' de salida
FINAL **t** como la 't' de pato

RIEUL
리을

INICIAL **r** como la 'r' de caro
FINAL **l** como la 'l' de cuál

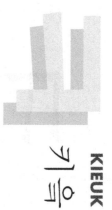
KIEUK
키읔

INICIAL **k** como la 'k' de kilo
FINAL **k** como la 'k' de kilo

PIEUP
피읖

INICIAL **p** como la 'p' de pizza
FINAL **p** como la 'p' de lupa

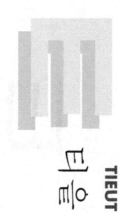
SIOT

INICIAL **t** como la 't' de tomate
FINAL **t** como la 't' de tomate

TIEUT
티읕

GIYEOK
기역

INICIAL **g** como la 'g' de gato
FINAL **c** como la 'c' de casa

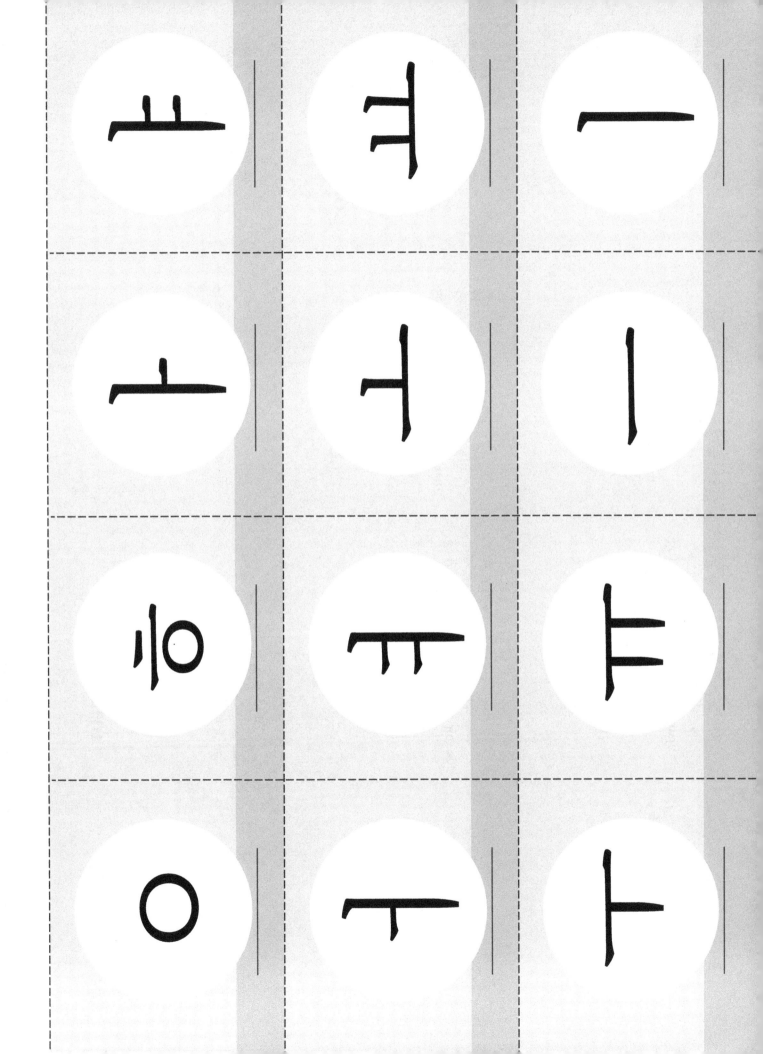

'YA'

Como la **'lla'** de **llave**

Igual que 'a' pero con un sonido suave de 'll' delante.

'YO'

Como la **'llo'** de **llover**

Igual que la letra 'o' pero con un sonido suave de 'll' delante.

'I'

Como la **'i'** de **idea**

Boca abierta, los dientes acercados, pero no cerrados.

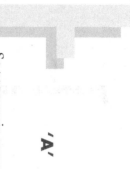

'A'

Se pronuncia como la **'a'** de **abuelo**

'O'

Se pronuncia como la **'o'** de **oso**

Boca abierta en forma de O con los labios quietos.

'EU'

Se pronuncia como la **'u'** de **uva**

Di 'u' con la boca alargada, las comisuras hacia atrás y los dientes cerca (pero no cerrados)

HIEUT

INICIAL **h** pero suena como la **'j'** de **jamón** *con un sonido más suave*

FINAL **t** como la **'t'** de **pato**

'YEO'

Se pronuncia como la **'llo'** de **llover**

Igual que 'eo' pero con un sonido suave de 'll' delante.

'YU'

Se pronuncia como la **'llu'** de **lluvia**

Igual que 'u' pero con un sonido suave de 'll' delante.

IEUNG

INICIAL **marcador mudo**

FINAL **ng** como la **'ng'** de **mango**

'EO'

Como la **'u'** de **uno**

Boca ampliamente abierta y los labios quietos.

'U'

Como la **'u'** de **uno**

Los labios con forma redondeada, la boca abierta con la parte inferior de la boca hacia delante.

ટ અ ડ

ટ બ વ

પ છ ૌ

પ છ છ

'YE'

como la 'lle' de llevar
Igual que ㅔ con un sonido de 'll' delante.

'WI'

como la 'güi' de pingüino
pero con la 'g' suave
'u-i' pero en un solo sonido fluido

SSANG GIYEOK

쌍기역

Parecido a la 'g' de gota
Suena similar a la ㄱ pero más tenso

'E'

como la 'e' de enano
Difícil de diferenciar de ㅐ

'WAE'

como la 'güe' de paragüero
con un sonido 'g' suave. Básicamente
'o-e' pronunciado como un solo sonido.

'UI'

'u-i' o 'u-güi' (sonido 'g' muy suave)
'u-i' pronunciado como un solo sonido corto

'YAE'

Igual que ㅐ con un sonido de 'll' delante.

'WA'

como la 'gua' de guante
con un sonido 'g' suave.
'o-a' pronunciado como un solo sonido

'WE'

como la 'güe' de cigüeña
Como 'o-e' (difícil de diferenciar de 왜)

'AE'

como la 'e' de elefante
Difícil de diferenciar de ㅔ

'OE'

como la 'güe' de cigüeña
'o-e' como un solo sonido fluido

'WO'

'guo' de antiguo ('g' suave)
'u-o' de una manera corta y fluida

ㅉ

ㅆ

ㅃ

ㄸ

읊어
ㅁ
ARRASTRANDO SONIDOS

SONIDOS ASIMILADOS
ㄹ

겹받침
CONSONANTES COMPLEJAS

받침
SIMPLIFICACIÓN DE SONIDOS

잡ㅆ
AUMENTO DE LA INTENSIDAD

ㅁ / ㅇ
LA ASIMILACIÓN NASAL

LOS EFECTOS PALATALES DE
이/히

EL EFECTO DE ASPIRACIÓN DE
ㅎ

SSANG JIEUT

쌍 지읒

la 'ch' de brocha

Suena similar a ㅈ pero más tenso

SSANG SIOT

쌍 시옷

Un sonido de '-s' con fuerza

Suena similar a ㅅ pero más tenso

SSANG BIEUP

쌍 비읍

la 'b' de banana

Suena similar a ㅂ pero más tenso

SSANG DIGEUT

쌍 디귿

la 'd' de disco

Suena similar a ㄷ pero más tenso

RESILABIFICACIÓN

Consonante final seguida de una vocal inicial, **arrastra el sonido**

음악 으악 으아

La ㅇ final no se arrastra, y La ㅎ final no se escucha/es débil

---

Crea un Sonido Simple de '-L'

ㄹ+ㄹ > ㄹ

ㄴ+ㄹ
ㄹ+ㄴ > ㄹ+ㄹ

Crea un Sonido de Doble 'L'

Pero de lo contrario...

Seguida de Consonante:

ㄳ ㄾ ㄼ
ㄻ ㄵ ㄶ
ㄺ ㄽ ㅄ > Se pronuncia la PRIMERA / Se pronuncia la SEGUNDA

Seguida de Vocal:

SEPARA – ARRASTRA LA 2°, PRONUNCIA AMBAS

Se aplican excepciones

INTENSIFICACIÓN

ㄱㄷㅂㅅㅈ seguidas de 받침 se convierten en ㄲ ㄸ ㅃ ㅆ ㅉ

ㄱㅈ ㅂㅆ
ㅂㅈ 잡찌

La ㅎ final solo intensifica una ㅅ inicial, convirtiéndola en ㅆ

ㄱ+ㄴ/ㅁ > ㄱㅇ
ㅂ+ㄴ/ㅁ > ㅂㅁ
ㄷ+ㄴ/ㅁ > ㄷㄴ

Nota: ㄱ+ㄹ > ㅇㄴ

Cuando los sonidos 받침 simplificados se encuentran con los sonidos nasales ㅁ ㅇ ㄴ

PALATALIZACIÓN

ㄷ+이 > 지
ㅌ+이 > 치
ㄷ+히 > 치

Se crean nuevos sonidos al pronunciar ciertas combinaciones de letras rápido.

Cambia la Pronunciación como **Consonantes Finales**

ㄲ ㅋ > ㄱ
ㅌ ㅎ ㅅ ㅆ > ㄷ
ㅈ ㅊ > ㄷ
ㅍ > ㅂ

ㄱ ㄷ ㅂ ㅈ +ㅎ / ㅎ+ ㄱ ㄷ ㅂ ㅈ

> ㅋ
> ㅌ
> ㅍ
> ㅊ

Los Sonidos Consonánticos se ven Reforzados por ㅎ

감사합니다

(gam-sa-ham-ni-da)

¡Gracias!

¡Gracias por elegir nuestro libro!

Ya estás en buen camino para aprender a leer, escribir y hablar coreano, y esperamos que hayas disfrutado de nuestro cuaderno de ejercicios de Hangul para principiantes.

Si has disfrutado aprendiendo coreano con nosotros, estaríamos encantados de escuchar sobre tu progreso en un comentario.

Siempre estamos encantados de saber si hay algo que podamos hacer para mejorar nuestros libros para los futuros estudiantes. ¡Nos comprometemos a preparar el mejor contenido posible para aprender un idioma! Por favor, contacta con nosotros por correo electrónico si tienes algún problema con algún contenido de este libro:

hello@polyscholar.com

POLYSCHOLAR

www.polyscholar.com

Made in United States
Orlando, FL
29 December 2024

56695335R00085